MOI, ALEX CROSS

Du même auteur :

Dans la série « Alex Cross » :
Le Masque de l'araignée, Lattès, 1993.
Et tombent les filles, Lattès, 1995.
Jack et Jill, Lattès, 1997.
Au chat et à la souris, Lattès, 1999.
Le Jeu du furet, Lattès, 2001.
Rouges sont les roses, Lattès, 2002.
Noires sont les violettes, Lattès, 2004.
Quatre Souris vertes, Lattès, 2005.
Grand Méchant Loup, Lattès, 2006.
Des nouvelles de Mary, Lattès, 2008.
La Lame du boucher, Lattès, 2010.
La Piste du Tigre, Lattès, 2012.

Dans la série « Women Murder Club » :
1er à mourir, Lattès, 2003.
2e Chance, Lattès, 2004.
Terreur au 3e degré (avec Maxine Paetro), Lattès, 2005.
4 Fers au feu (avec Maxine Paetro), Lattès, 2006.
Le 5e Ange de la mort (avec Maxine Paetro), Lattès, 2007.
La 6e Cible (avec Maxine Paetro), Lattès, 2008.
Le 7e Ciel (avec Maxine Paetro), Lattès, 2009.
La 8e Confession (avec Maxine Paetro), Lattès, 2010.
Le 9e Jugement (avec Maxine Paetro), Lattès, 2011.
Le 10e Anniversaire (avec Maxine Paetro), Lattès, 2012.
La Diabolique, Lattès, 1998.
Souffle le vent, Lattès, 2000.
Beach House, Lattès, 2003.
Bikini, Lattès, 2009.

www.editions-jclattes.fr

James Patterson

MOI, ALEX CROSS

Roman

Traduit de l'anglais (États-Unis)
par Philippe Hupp

JC Lattès

Ouvrage publié sous la direction
de Sibylle Zavriew

Titre de l'édition originale :

I, ALEX CROSS
Publiée par Little, Brown and Company, New York, NY.

Maquette de couverture : Bleu T
Photo : © Yolande de Kort/Trevillion Images

ISBN : 978-2-7096-3646-9

Première édition juin 2013.
Publié avec l'accord de Linda Michaels Limited, International
Literary Agents.

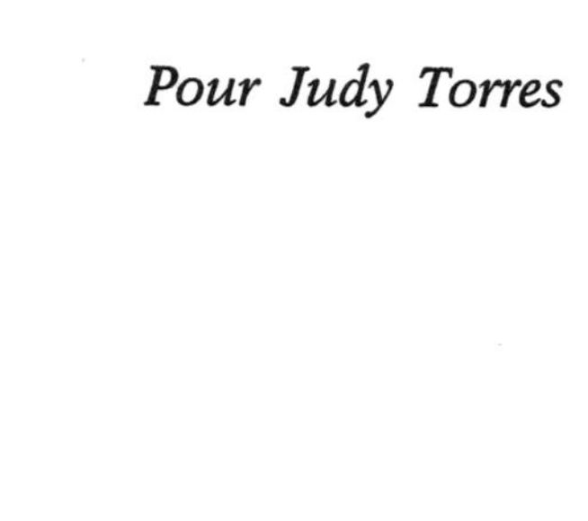

Pour Judy Torres

PROLOGUE

L'EAU ET LE FEU

1

Hannah Willis était en deuxième année de droit à l'université de Virginie et tout semblait lui sourire. À un détail près : elle allait mourir dans ce bois si lugubre, si sombre.

Avance, Hannah, se dit-elle. *Avance. Arrête de gamberger. Ce n'est pas en gémissant et en pleurant que tu vas t'en sortir. Il faut que tu coures, c'est ta seule chance.*

Hannah tenait à peine sur ses jambes. Elle parcourut encore quelques mètres en titubant jusqu'à ce que ses mains trouvent un autre tronc d'arbre contre lequel appuyer son corps meurtri, le temps de rassembler assez de forces pour reprendre son souffle et s'élancer une nouvelle fois.

Ne t'arrête pas, ou tu vas mourir ici, dans ce bois. C'est aussi simple que ça.

La balle logée quelque part dans son dos, au niveau des reins, la faisait atrocement souffrir dès qu'elle bougeait, dès qu'elle respirait. Jamais Hannah n'aurait imaginé qu'on pût avoir aussi mal. Si elle tenait encore debout, c'était uniquement parce qu'elle redoutait une deuxième balle, ou pire.

Dieu qu'il faisait noir dans ces bois ! Le malheureux quartier de lune suspendu au-dessus de l'épaisse frondaison éclairait à peine le sol. Les arbres n'étaient que des ombres. Hannah avait les jambes en sang, écorchées par les épines et les ronces invisibles dans les fourrés. De sa tenue minimaliste – un joli body de dentelle noire – il ne restait que des lambeaux.

Tout cela n'avait pas grande importance, d'ailleurs, et Hannah n'y pensait même plus. Une seule idée claire parvenait à franchir le mur de la douleur et de la panique : *fonce, ma grande*. Le reste n'était qu'un cauchemar insensé.

Finalement, et de manière très soudaine – s'était-il écoulé une heure, voire plus ? –, la basse voûte végétale s'ouvrit tout autour d'elle. « Qu'est-ce que... » La terre laissa brusquement place à des gravillons, et Hannah trébucha. Elle se retrouva à genoux, sans aucun point d'appui.

À la lueur de la lune, elle réussit à deviner une ligne double, un virage, une route de campagne. Un vrai miracle. Enfin, en partie. Elle savait qu'elle n'était pas encore tirée d'affaire.

Un moteur gronda dans le lointain. Hannah trouva la force de se relever. La prouesse l'étonna presque et elle tituba jusqu'au milieu de la chaussée, les yeux noyés de sueur et de larmes. Tout était flou.

Je vous en supplie, mon Dieu, faites que ce ne soient pas eux. Ça ne peut pas être ces deux ordures.

Vous ne pouvez pas être cruel à ce point, dites ?

Un véhicule émergea du virage en tanguant légèrement. Il arrivait droit sur Hannah, beaucoup trop vite.

Aveuglée par les phares, la jeune femme ne voyait plus rien, comme dans les bois, quelques instants plus tôt.

— Arrête-toi ! S'il te plaît ! Arrête-toi, merde !

À la toute dernière seconde, dans un hurlement de pneus, le pick-up freina à mort en dérapant sur le bitume et s'immobilisa à quelques centimètres à peine de Hannah, qui sentit la chaleur du moteur derrière la calandre.

— Hé, ma jolie, elle est d'enfer, ta tenue ! T'aurais levé le pouce, ça suffisait !

Cette voix ne lui disait rien et ça, c'était plutôt une bonne nouvelle. De la musique country braillait dans l'habitacle. Hannah reconnut vaguement le Charlie Daniels Band avant de s'effondrer sur la chaussée.

Lorsqu'elle reprit connaissance au bout de quelques secondes, le conducteur était descendu de son véhicule.

— Oh, merde, je ne voulais pas... Que t'est-il arrivé ? Est-ce que tu as été... que t'est-il arrivé ?

— S'il vous plaît, parvint-elle difficilement à articuler. S'ils me trouvent ici, ils vont nous tuer tous les deux.

Les mains puissantes de l'homme s'emparèrent d'elle et la soulevèrent, effleurant au passage la plaie, de la taille d'une piécette, qu'elle avait dans le dos. Trop affaiblie pour hurler, elle n'émit qu'un râle. Quelques instants gris et flous plus tard, ils étaient à l'intérieur du pick-up et fonçaient sur la petite route à deux voies.

— Accroche-toi ma petite, dit le conducteur d'une voix qui, maintenant, tremblait. Dis-moi qui t'a fait ça.

Hannah sentit qu'elle allait de nouveau s'évanouir.

— Les hommes...

— Les hommes ? Quels hommes, ma petite ? De qui parles-tu ?

Une réponse en trois mots flotta vaguement dans l'esprit de Hannah, qui se demanda si elle les avait prononcés ou simplement pensés avant de perdre connaissance.

Les hommes de la Maison-Blanche.

2

Il s'appelait Johnny Tucci, mais chez lui, dans les quartiers sud de Philadelphie, on le surnommait Johnny Twitchy, « Johnny le nerveux », par rapport à sa façon de rouler les yeux quand il était inquiet, c'est-à-dire la plupart du temps.

Évidemment, maintenant, les gars de Philadelphie pouvaient aller se faire foutre. Cette nuit, Johnny jouait enfin dans la cour des grands. Place aux hommes. Il avait le « colis », oui ou non ?

Le job était simple, mais sympa, car Johnny était seul et il devait assurer. Le colis, il l'avait déjà récupéré. Il avait eu les jetons, mais s'en était très bien sorti.

Même si personne ne le disait, une fois qu'on commençait à faire ce genre de livraisons, ça signifiait qu'on avait un moyen de pression sur la famille, et réciproquement. Autrement dit, on était lié. À partir de maintenant, finies les tournées d'encaissement du loto clandestin, fini le grappillage de miettes dans les quartiers sud. C'était comme sur les autocollants pour pare-chocs. *Aujourd'hui est le premier jour du reste de ma vie.*

Alors, forcément, il était remonté à bloc – et un tout petit peu inquiet.

La mise en garde de son oncle Eddie tournait en boucle dans sa tête. *Ne gâche pas cette chance, Twitchy,* qu'il lui avait dit. *Je prends de sacrés risques pour toi.* Comme s'il lui faisait un énorme cadeau en lui filant ce job, ce qui était peut-être le cas, mais quand même. C'était son oncle, après tout, et il évitait surtout de se salir les mains.

Il monta le son de la radio. Même la musique country du coin valait mieux que la rengaine de son oncle, qui lui prenait la tête depuis des heures. En fait, c'était un vieux morceau du Charlie Daniels Band, *The Devil Went Down to Georgia*. Johnny connaissait presque les paroles par cœur, mais cela n'empêchait pourtant pas la voix de Eddie de le harceler.

Ne gâche pas cette chance, Twitchy.

Je prends de sacrés risques pour toi.

Oh ! putain !

Surgis de nulle part, des flashs bleus ricochèrent sur son rétroviseur. Et dire que deux, trois secondes plus tôt, il aurait juré avoir toute l'autoroute à lui...

Apparemment, ce n'était pas le cas.

Johnny sentit le coin de son œil droit commencer à palpiter.

Il donna un coup d'accélérateur – peut-être arriverait-il à prendre le large. Puis il se souvint qu'il était au volant d'une Dodge pourrie tirée sur le parking d'un Motel 6, à Essington. Quel con. Il aurait dû aller au Marriott et piquer une bagnole japonaise.

Cela dit, le vol de la Dodge n'avait peut-être pas encore été reporté. Le propriétaire devait être en train de roupiller au motel. Avec un peu de chance, Johnny se prendrait juste une contravention et l'affaire n'irait pas plus loin.

Mais ce genre de chance, c'était pour les autres, pas pour Johnny.

Les flics mirent une plombe à descendre de voiture, ce qui était très, très mauvais signe. Ils vérifiaient le modèle et les plaques. Quand il les vit se diriger vers lui, chacun d'un côté, Johnny avait les yeux qui valdinguaient comme des haricots sauteurs du Mexique.

Il essaya de la jouer cool.

— Bonsoir, messieurs. Il y a un problème... ?

L'homme qui arrivait par la gauche, une grande brute, ouvrit la portière et lui dit avec un fort accent :

— Fermez-la et descendez du véhicule.

Il ne leur fallut pas longtemps pour découvrir le colis. Après avoir inspecté les sièges avant et la banquette arrière, ils ouvrirent le coffre, soulevèrent le cache de la roue de secours, et c'était plié.

— Sainte mère de Dieu ! s'exclama le premier flic en braquant sa lampe torche sur sa trouvaille.

L'autre eut un hoquet de surprise.

— Qu'est-ce que vous avez fait ?

Johnny n'était plus là pour répondre. Il avait déjà pris ses jambes à son cou.

3

Johnny Tucci franchit une haie d'arbres et dévala le ravin qui bordait l'autoroute. Plus mort et plus stupide que lui en ce moment, ça n'existait pas et il le savait.

Il pouvait peut-être échapper à ces flics, mais pas à la Famille. Que ce soit en prison ou ailleurs. C'était un fait établi. On ne perdait pas un colis de ce genre sans devenir soi-même un colis.

Johnny entendit des voix au-dessus de lui, et vit danser des faisceaux de lampes torches. Il baissa la tête et se jeta sous un taillis. Il tremblait comme une feuille, son cœur battait si vite qu'il en devenait douloureux, et ses poumons, encrassés par la cigarette, peinaient. Ne pas bouger, ne pas faire de bruit lui était quasiment impossible.

Oh, putain, je suis fichu, je suis fichu de chez fichu.

— Tu vois quelque chose ? Tu vois ce petit salopard ? Ce taré ?

— Rien pour l'instant. On l'aura. Il est forcément là, en bas, quelque part. Il ne peut pas être allé loin.

Les flics se séparèrent pour le prendre en tenaille et commencèrent à descendre. Parfaitement méthodiques, efficaces.

Johnny retrouvait peu à peu son souffle, mais il tremblait de plus en plus ; pas seulement à cause des flics, il pensait à la suite des événements. À vrai dire, seules deux possibilités s'offraient à lui. D'un côté, il y avait le calibre .38 qu'il portait à la cheville. De l'autre, le colis – et ses propriétaires. À lui de choisir de quelle manière il voulait mourir.

Et sous cette lune blafarde, la question ne se posait pas vraiment.

Lentement, très lentement, il retira le revolver de son étui puis, d'une main qui tremblait affreusement, enfonça le canon de l'arme dans sa bouche. L'acier lui cogna les dents, il avait un goût amer. Non sans honte, Johnny sentit des larmes couler sur son visage. C'était plus fort que lui, et qui d'autre, de toute manière, le saurait ?

C'était donc ainsi qu'il allait crever ? En pleurant comme un minable, tout seul, dans les bois ? Quel monde pourri...

Il les entendait déjà, les autres. *Moi, je voudrais pas finir comme Johnny*. Johnny Twitchy. Ils le feraient graver sur sa tombe, par pure méchanceté. Bande d'enfoirés !

Johnny ne cessait de se dire *vas-y, appuie*, mais son doigt ne voulait pas. Il réessaya, prenant l'arme à deux mains, mais ça ne marchait pas non plus. Même ça, il n'était pas capable de le faire correctement.

Il finit par recracher le canon, en pleurant toujours comme un gamin. Savoir qu'il allait vivre un jour de plus ne suffisait pas, apparemment, à arrêter les larmes. Il resta couché là, à se mordiller les lèvres en se lamentant sur son sort, jusqu'à ce que les flics aient atteint le ruisseau qui coulait au fond du ravin.

Il remonta alors à quatre pattes, aussi vite qu'il le pouvait, par le même chemin qu'à l'aller ; traversa l'autoroute au pas de course et s'enfonça dans les bois, se demandant comment il allait bien pouvoir disparaître de la surface de la terre, sachant que c'était tout bonnement impossible.

Il avait regardé. Il avait vu ce qu'il y avait dans le « colis ».

PREMIÈRE PARTIE

TEMPÊTE DE FEU

1

Pour mon anniversaire, j'eus droit à une petite fête dans notre maison de la Cinquième Rue. Une fête très joyeuse, en comité restreint, exactement comme je le souhaitais.

Damon était rentré de son pensionnat du Massachusetts pour jouer les invités surprises. Épaulée par mes autres petits chéris, Jannie et Ali, Nana prenait son rôle de responsable des festivités très au sérieux. Sampson et sa famille étaient là, ainsi que Bree, bien sûr.

Seules les personnes que j'aimais le plus avaient été invitées. Avec qui d'autre peut-on vouloir célébrer une année de plus sur le chemin de la sagesse ?

Ce soir-là, je me fendis même d'un petit speech, aussitôt oublié. Sauf le début. « Moi, Alex Cross, je promets solennellement à vous tous ici présents de faire tout mon possible pour trouver un équilibre entre ma vie personnelle et ma vie professionnelle, et de ne plus jamais m'aventurer sur le territoire du mal. »

Nana leva son gobelet de café.

— C'est un peu tard.

Il y eut des rires, puis, à une personne près, tout le monde fit en sorte que j'aborde cette nouvelle année de ma vie avec une certaine humilité et un grand sourire.

— Vous vous souvenez, gloussa Damon, de ce match des Redskins, la fois où papa a fermé la voiture sur le parking du stade en laissant les clés dedans ?

Je tentai d'intervenir.

— La vérité, c'est que...

— Il m'a tiré du lit à minuit passé, grommela Sampson.

— Et ça, renchérit Nana, après être déjà resté une bonne heure à essayer d'ouvrir les portières, parce qu'il était persuadé de pouvoir y arriver tout seul.

Jannie mit une main en cornet autour de son oreille.

— Parce qu'il est... ? Parce qu'il est... ?

Et tout le monde de répondre en chœur :

— Le Sherlock Holmes américain !

Allusion à un article que m'avait consacré un grand magazine, quelques années plus tôt, et dont le titre allait manifestement me poursuivre jusqu'à la fin de mes jours.

Je bus une grande gorgée de bière.

— Une brillante carrière – paraît-il –, des dizaines d'affaires importantes résolues, et c'est tout ce qu'on retient de moi ? Moi qui m'imaginais naïvement que pour mon anniversaire, j'allais passer une bonne soirée...

Nana prit la balle au bond. Sans me la rendre.

— Ce qui me fait penser que nous avons encore une petite chose à régler. Les enfants ?

Jannie et Ali se levèrent, tout excités. Apparemment, une énorme surprise m'attendait. Personne ne voulait me dire ce que c'était, mais j'avais déjà ouvert la plupart de mes cadeaux. Bree m'avait offert une paire de lunettes de soleil Serengeti ; Sampson, une chemise criarde accompagnée de deux mignonnettes de tequila ; et les enfants, une pile de livres, dont le dernier George Pelecanos et la biographie de Keith Richards.

L'autre indice, si l'on peut dire, était que Bree et moi étions connus pour les annulations de dernière minute. Depuis que nous nous connaissions, nos longs week-ends tombaient régulièrement à l'eau. D'aucuns auraient pu croire qu'appartenant tous deux à la police de Washington et à la même brigade – la criminelle – nous pouvions plus facilement coordonner nos emplois du temps, mais le plus souvent, c'était le contraire.

J'avais donc une vague, très vague idée de ce qui pouvait m'attendre.

— Alex, tu ne bouges pas, m'intima Ali.

Depuis peu, il m'appelait par mon prénom. Et si je n'y voyais rien à redire, cela horripilait Nana.

Bree promit de garder un œil sur moi pendant que tout le monde s'éclipsait en direction de la cuisine.

— Le mystère s'épaissit, fis-je à mi-voix.

— À chaque seconde, me répondit Bree avec un sourire assorti d'un clin d'œil. Ça devrait te plaire.

Je m'étais installé dans l'un des vieux fauteuils club et elle sur le canapé, en face de moi. Elle était belle en toutes circonstances, mais je la préférais ainsi, décontractée, à l'aise, en jean et pieds nus. Elle avait les yeux fixés au sol. Son regard remonta lentement.

— Vous venez souvent ici ? me demanda-t-elle.

— De temps en temps. Et vous ?

Elle but une gorgée de bière, inclina la tête d'un petit air mutin.

— Ça vous dirait de prendre le large ?

— Oh que oui.

Du pouce, j'indiquai la porte de la cuisine.

— Dès que je me serai débarrassé de ces insupportables, hum...

— De cette adorable famille ?

Décidément, cet anniversaire prenait une tournure de plus en plus agréable. Deux surprises m'attendaient, semblait-il.

Trois, en fait.

Le téléphone sonna dans le couloir. C'était notre ligne privée, pas le portable dont je me servais au boulot. J'avais également un bipeur sur le buffet, à proximité. Je décidai d'aller décrocher, sans m'inquiéter, en songeant même que c'était peut-être un coup de fil amical, quelqu'un qui voulait me souhaiter un bon anniversaire ou, dans le pire des cas, essayer de me vendre une parabole.

Finirais-je par retenir la leçon, un jour ? Sans doute dans une autre vie...

2

— Alex, c'est Davies. Désolé de vous déranger chez vous.

Ramon Davies était le surintendant des enquêteurs de la police de Washington, autrement dit mon patron. Au bout du fil.

— C'est mon anniversaire. Qui est mort ?

J'étais passablement agacé. Mais pourquoi diable avais-je décroché ?

— Caroline Cross.

Ce fut comme si mon cœur s'était arrêté de battre. Au même instant, la porte de la cuisine s'ouvrit et toute ma petite famille défila en chantant. Nana portait un plateau sur lequel trônait un gâteau sophistiqué, rose et rouge, surmonté d'un mémo de voyage American Airlines fixé à l'aide d'une pince.

— Joy-eux an-ni-ver-saire...

Sans doute alertée par mon expression et mon attitude, Bree les fit taire d'un geste. Ils se figèrent entre deux notes. Avaient-ils oublié que cet anniversaire était celui de l'*inspecteur* Alex Cross ?

Caroline était ma nièce, la fille unique de mon frère. Je ne l'avais pas vue depuis vingt ans, depuis la mort de Blake. Elle devait donc avoir vingt-quatre ans.

Au moment de sa mort.

Le sol parut se dérober sous mes pieds. J'aurais voulu traiter Davies de menteur, mais le flic en moi prit le dessus.

— Où est-elle maintenant ?

— Je viens d'avoir la police d'État de Virginie au téléphone. Les restes se trouvent à l'institut médico-légal de Richmond. Je suis désolé, Alex. J'aurais aimé ne pas avoir à vous annoncer pareille nouvelle.

— Les restes ? répétai-je à mi-voix.

Le terme faisait froid dans le dos, mais je préférais cette franchise à des précautions oratoires. Je sortis de la pièce en regrettant d'avoir prononcé ce simple mot devant les miens.

— J'imagine que nous avons affaire à un meurtre ?

— Malheureusement, oui.
— Que s'est-il passé ?
Mon cœur battait à tout rompre. Je redoutais la réponse.
— Je n'ai pas beaucoup de détails, me répondit-il d'un ton embarrassé.
Il ne me disait pas tout.
— Ramon, que se passe-t-il ? Dites-le-moi. Que savez-vous au sujet de Caroline ?
— Chaque chose en son temps, Alex. Si vous partez maintenant, vous pourrez être sur place dans environ deux heures. Je vais demander à l'un des agents de vous prendre en charge.
— J'arrive.
— Au fait, Alex...
L'esprit en lambeaux, j'étais déjà en train de raccrocher.
— Quoi ?
— Je serais vous, je n'irais pas tout seul.

3

Le pied au plancher et la sirène en marche, il me fallut moins d'une heure et demie pour arriver à Richmond.

L'institut médico-légal occupait un bâtiment neuf sur Marshall Street. Davies avait demandé à l'inspecteur Colin Fellows, du bureau d'enquête criminelle de la police d'État, de nous y rejoindre. Bree et moi.

— On a embarqué la voiture pour l'apporter au dépôt du QG de la division, sur la 1, nous annonça Fellows. Sinon, tout est là. Les restes se trouvent à la morgue, au sous-sol. Tous les éléments de preuve matériels sont au labo, à cet étage.

Toujours ce mot terrible. Les restes.

— Qu'avez-vous récupéré ? voulut savoir Bree.

— Les collègues ont découvert des vêtements de femme et un petit sac à main noir enveloppés dans une couverture de déménageurs, dans le coffre. Tenez. J'ai sorti ça pour vous le montrer.

Il me tendit une pochette en plastique renfermant un permis de conduire du Rhode Island. Au début, je ne reconnus que le nom de Caroline. La fille sur la photo était très belle, on aurait dit une danseuse, les cheveux tirés en arrière, le front haut. Et de grands yeux, dont je me souvenais encore.

Des yeux grands comme le ciel, disait toujours Blake, mon frère aîné. Je le revoyais en train de pousser Caroline sur la vieille balancelle de notre terrasse, riant chaque fois qu'elle le regardait. Il l'adorait, cette petite. Nous l'adorions tous. Elle était si mignonne, Caroline.

Aujourd'hui, tous deux avaient disparu. La drogue avait eu raison de mon frère. Qu'était-il arrivé à Caroline ?

Je rendis le permis de conduire à l'inspecteur Fellows et lui demandai de m'indiquer le bureau du médecin légiste chargé de l'enquête. Pour tenir le choc, il fallait que je continue sur ma lancée.

Le Dr Amy Carbondale nous reçut au sous-sol. Elle venait juste de retirer ses gants en latex, sa main était encore un peu froide. Elle paraissait extrêmement jeune pour ce genre de travail – je lui donnais une petite trentaine – et ne savait que faire de moi, quoi me dire.

— Docteur Cross, j'ai suivi vos travaux, me murmura-t-elle d'un ton respectueux et compatissant. Je vous présente mes sincères condoléances.

— Si vous pouviez simplement m'exposer les faits, je vous en serais reconnaissant.

Elle ajusta ses lunettes à monture de fil d'acier et se lança, avec une certaine appréhension.

— D'après les échantillons que j'ai pu étudier, le corps aurait été morcelé à plus de quatre-vingt-seize pour cent. Quelques centièmes ont survécu, et nous avons pu obtenir une empreinte correspondant au nom de la détentrice du permis de conduire.

— Excusez-moi – morcelé, vous dites ?

C'était la première fois que j'entendais ce terme.

Le Dr Carbondale me regarda droit dans les yeux, sans esquiver ma question.

— Tout indique qu'on a utilisé un broyeur. Sans doute un broyeur à bois.

Ces mots me coupèrent littéralement le souffle et restèrent bloqués dans ma poitrine. Un broyeur ? Puis une autre question me vint à l'esprit : pourquoi avoir conservé les vêtements et le permis de conduire de Caroline ? Comme preuve de son identité ? Le tueur voulait-il un souvenir ?

— Je vais faire un examen toxicologique complet, poursuivit le Dr Carbondale, une analyse ADN et, bien sûr, nous allons rechercher des fragments de projectile ou autres métaux, mais la cause réelle de la mort va être très difficile à déterminer, sinon impossible.

— Où est-elle ?

Je n'avais que cette question en tête. Où se trouvaient les restes de Caroline ?

— Docteur Cross, êtes-vous bien sûr de vouloir tout de suite...

— Certain, l'interrompit Bree, qui savait ce dont j'avais besoin. (Elle indiqua le labo.) Ne perdons pas de temps. Je vous en prie, docteur. Nous sommes tous trois des professionnels.

Nous franchîmes deux portes à double battant avant de pénétrer dans une salle aux allures de bunker. Sol de béton gris, haut plafond carrelé hérissé de caméras et de lampes parapluies. Il y avait des lavabos et de l'inox partout, comme il se devait, et un sac mortuaire blanc sur l'une des tables.

Un détail étrange, anormal, me sauta immédiatement aux yeux.

Le sac était renflé au milieu et plat aux deux extrémités. Cela dépassait en horreur tout ce que j'avais pu imaginer.

Les restes.

Le Dr Carbondale ouvrit la fermeture à glissière.

— On l'a scellé à chaud, nous expliqua-t-elle. Je l'ai refermé après le premier examen.

À l'intérieur du sac mortuaire se trouvait un deuxième sac. Cela ressemblait à une sorte de plastique industriel blanc, juste assez translucide pour qu'on distingue la couleur de la chair, du sang et des os.

Quelques secondes durant, ce fut comme si mon cerveau avait cessé de fonctionner, comme si je refusais de croire ce que je voyais. Dans ce sac, il y avait bien une personne décédée, mais pas un corps.

Caroline, mais pas Caroline.

4

Le retour à Washington me fit l'effet d'un mauvais rêve qui n'en finissait pas. À notre arrivée, un calme étrange régnait dans la maison. Je songeai à réveiller Nana, mais si elle ne s'était pas levée de son propre chef, cela signifiait qu'elle était épuisée et avait besoin de repos. Les mauvaises nouvelles pouvaient attendre.

Mon gâteau d'anniversaire trônait toujours dans le réfrigérateur, intact, et quelqu'un avait laissé le mémo American Airlines sur la desserte. Un bref coup d'œil. Deux billets pour Saint John, une île des Caraïbes où j'avais toujours rêvé d'aller. C'était sans importance, désormais, car notre petit week-end était en suspens. Tout, en fait, était en suspens. J'avais l'impression de me déplacer au ralenti, et certains détails m'apparaissaient avec une étrange netteté.

Bree me prit par la main pour m'entraîner hors de la cuisine.

— Il faut que tu ailles te coucher. Ne serait-ce que pour avoir les idées claires demain.

— Tout à l'heure, tu veux dire.

— Je veux dire demain. Quand tu te seras reposé.

Je remarquai qu'elle n'avait pas parlé de dormir. Le temps de monter et de nous déshabiller, nous nous écroulâmes sur le lit. Bree saisit ma main pour ne plus la lâcher.

Environ une heure plus tard, j'étais toujours en train de contempler le plafond. La même question me hantait depuis que nous avions quitté Richmond : pourquoi ?

Pourquoi une telle horreur ? Pourquoi Caroline ?

Pourquoi un broyeur à bois ? Pourquoi ces restes, et non un corps ?

En bon enquêteur, j'aurais dû réfléchir aux éléments matériels dont nous disposions et chercher des pistes, mais là, allongé dans le noir, je ne me faisais pas vraiment l'effet d'un inspecteur de police. J'étais l'oncle, j'étais le frère.

D'une certaine manière, c'était la seconde fois que nous perdions Caroline. À la mort de Blake, sa mère avait décidé de couper les ponts avec la famille. Elle avait déménagé sans même un mot d'adieu, changé de numéro de téléphone, et les cadeaux d'anniversaire nous étaient systématiquement renvoyés. Un véritable crève-cœur à l'époque, mais depuis, j'avais eu régulièrement l'occasion de constater la formidable capacité du monde à susciter le malheur et à faire du mal.

Vers 4 h 30, je décidai de me relever. Mon cœur et ma tête se refusaient à toute forme de repos.

La voix de Bree m'arrêta.

— Où vas-tu ? Il fait encore nuit.

— Je ne sais pas. Je vais peut-être monter dans mon bureau et essayer de faire quelque chose. Rendors-toi.

— Je ne dormais pas, rétorqua-t-elle en se redressant pour m'enlacer les épaules. Tu n'es pas seul, dans cette histoire. Ce qui t'arrive à toi m'arrive aussi à moi.

Je baissai la tête et écoutai sa voix apaisante. Elle avait raison, nous étions ensemble dans l'épreuve. C'était ainsi depuis que nous nous connaissions, et tant mieux.

— Je ferai tout ce qu'il faut pour que toi et toute cette famille s'en sortent, me dit-elle. Et demain, on ira là-bas, tous les deux, pour essayer de découvrir qui a commis cette monstruosité. Tu m'entends ?

Pour la première fois depuis le coup de fil de Davies, je sentis mon cœur se réchauffer. Il n'était pas question de bonheur, ni même de soulagement, mais tout au moins de gratitude. Un motif de réjouissance. J'avais passé la plus grande partie de ma vie sans Bree, et aujourd'hui je me demandais comment j'avais fait jusque-là.

— Comment ai-je pu tomber sur toi ? Comment ai-je pu avoir une chance pareille ?

— La chance n'y est pour rien, me répondit-elle en se serrant encore plus fort contre moi. C'est l'amour, Alex.

5

Pour Gabriel Reese, la réunion qui se tint cette nuit-là, dans un bâtiment construit, à l'origine, pour le département d'État, celui de la Marine et celui de la Guerre – ce qui était quasiment une première – avait quelque chose d'à la fois logique et paradoxal.

Reese avait un sens profond de l'histoire. Il avait en quelque sorte Washington dans le sang, et ce depuis trois générations.

Le vice-président l'avait appelé en personne, passablement stressé. Or Walter Tillman, qui avait dirigé deux des cent plus riches sociétés du pays, n'était pas un novice en matière de stress. Il ne lui avait fourni aucun détail, lui avait juste demandé de se rendre immédiatement au bâtiment Eisenhower. C'était ici que se trouvait le bureau d'apparat de la vice-présidence ; ici que les prédécesseurs de Tillman, de Johnson à Cheney, avaient accueilli les dirigeants du monde entier.

Un bureau qui, dans le cas présent, avait surtout l'avantage d'être à l'écart de l'aile ouest de la Maison-Blanche, loin des yeux et des oreilles dont cette réunion secrète tenait manifestement à se préserver.

Reese trouva les portes du bureau closes. Dan Cormorant, du Secret Service[1], responsable de la protection rapprochée, était posté devant l'entrée. Deux autres agents montaient la garde un peu plus loin, de part et d'autre du couloir.

Reese entra sans s'annoncer. Cormorant lui emboîta le pas et referma les lourdes portes de chêne derrière lui.

— Monsieur le vice-président ? fit Reese.

Au fond de la pièce, Walter Tillman leur tournait le dos. Le lustre finement ouvragé, réplique d'un modèle à gaz d'époque, projetait ses reflets ambrés sur les fenêtres. Plusieurs maquettes de vaisseaux, sous verre, témoignaient du prestigieux passé des lieux : ce

1. Le Secret Service, qui dépend du département de la Sécurité intérieure, assure notamment la protection des locataires de la Maison-Blanche et celle de hautes personnalités étrangères en visite sur le sol américain.

bureau avait été celui du général Pershing pendant la Seconde Guerre mondiale.

Tillman se retourna.

— Nous avons un problème, Gabe. Venez vous asseoir. Ça se présente mal. Difficile d'imaginer pire, pour tout dire.

6

L'agent Cormorant vint se planter à côté du vice-président ; une entorse au protocole qui renforça l'appréhension de Reese. En tant que chef de cabinet de la Maison-Blanche, celui-ci se devait d'être informé de tout en même temps ou presque que le Secret Service. Cette fois, il avait clairement une longueur de retard. Que s'était-il passé ? Qui était en cause ?

Le vice-président fit signe à Cormorant de commencer.

— Merci, monsieur le vice-président. Gabe, l'information que je m'apprête à vous révéler doit être tenue secrète, ce qui constitue probablement un crime aux yeux de la loi. Il faut que vous le sachiez avant que je...

— Venez-en au fait, Dan.

Gabe Reese aimait bien Cormorant, mais pas sa tendance à faire du zèle. Tillman les ayant toujours emmenés dans ses bagages depuis le début de sa carrière politique, à Philadelphie, ils avaient l'un et l'autre acquis une certaine liberté de manœuvre. Mais aux yeux de Reese, Cormorant en faisait tout de même un peu trop. À l'inverse, Cormorant devait trouver Reese éminemment coincé.

— Avez-vous déjà entendu parler d'un certain Zeus, dans le cadre de vos missions ? Zeus, comme le dieu grec.

Reese réfléchit. Le Secret Service donnait des noms de code à toutes les personnalités qu'il était chargé de protéger, mais celui-ci ne lui disait rien. Il devait désigner un personnage de premier plan, forcément. Reese secoua la tête.

— Je ne crois pas. J'aurais dû ?

Cormorant ne daigna pas répondre.

— Au cours des six derniers mois, il y a eu une série de disparitions dans la zone centrale de la côte est. Surtout des femmes, mais aussi des hommes. Ces personnes exerçaient toutes le plus vieux métier du monde, si vous voyez ce que je veux dire. Pour l'instant, aucun lien n'a été établi entre ces affaires.

— Jusqu'à maintenant, reprit Reese. Que se passe-t-il ?

— Nos services de renseignement ont intercepté trois communications, liées à trois affaires, laissant apparaître ce nom, Zeus. Idem hier soir, mais cette fois-ci à propos d'un homicide avéré. (Cormorant marqua un temps d'arrêt pour souligner ce qui allait suivre.) Tout cela est classé confidentiel, bien entendu.

Reese perdit rapidement patience.

— Qu'est-ce que cette histoire a à voir avec la vice-présidence ? Ou la présidence, puisque vous m'avez convoqué ? Je me demande même si cet entretien est justifié.

Tillman intervint pour mettre de l'ordre, comme à son habitude.

— Ce Zeus, quelle que soit sa véritable identité, a un lien avec la Maison-Blanche, Gabe.

— Quoi ? (Reese s'était levé brusquement.) Quel genre de lien ? Qu'essayez-vous de me dire, au juste ? Que se passe-t-il ?

— Nous l'ignorons, répondit Cormorant. Nous sommes face à un double problème : nous n'avons aucune idée de ce qui se passe, et nous devons protéger le gouvernement d'un éventuel scandale.

— Votre boulot, c'est de protéger la Présidente et le vice-président ! rétorqua Reese. Pas tout le gouvernement !

Cormorant, bras croisés, tint bon.

— Mon travail consiste à enquêter et à empêcher toute menace potentielle…

— Fermez-la, tous les deux ! cria Tillman. On se serre les coudes, ou je mets immédiatement fin à cette réunion. Compris ?

— Oui, monsieur le vice-président, répondirent-ils à l'unisson.

— Dan, je sais déjà ce que vous pensez. Gabe, je veux votre avis, un avis sincère. Je ne suis pas du tout certain qu'il faille taire cette affaire. Elle pourrait très facilement nous retomber dessus, et là, on ne parle pas simplement d'essuyer des critiques ou de se faire taper sur les doigts. Pas avec le Congrès. Pas avec la presse. Et encore moins s'il est question de meurtre.

Ce dernier mot fit frémir Reese.

Il se passa la main dans les cheveux, argentés depuis ses vingt-cinq ans.

— Monsieur, je doute qu'une réponse spontanée à ce genre de question soit dans votre intérêt, et dans celui de la Présidente. S'agit-il d'une rumeur ? S'appuie-t-elle sur des faits tangibles ? Lesquels ? La Présidente est-elle déjà au courant ?

— Le problème, c'est qu'à ce stade nous savons encore très peu de choses. Bon sang, Gabe, que vous suggère votre instinct ? Je sais que vous avez un avis. Et, non, la Présidente n'est pas au courant. Nous, oui.

Tillman se fiait beaucoup à l'intuition et il avait raison : Reese avait déjà sa petite idée.

— Une fois que l'info sera rendue publique, plus moyen de faire marche arrière. Il faut que nous essayions d'en savoir le plus possible dans un laps de temps très court. Disons deux ou trois jours. (Et d'ajouter, au bénéfice de l'agent Cormorant :) Sauf si vous en décidez autrement. Et nous devons définir une stratégie de sortie, de manière à pouvoir prendre nos distances au cas où l'affaire éclaterait prématurément.

— Je suis d'accord, monsieur le vice-président, opina Cormorant. En ce moment, nous sommes en plein brouillard et c'est inadmissible.

Tillman respira profondément, ce que Reese interpréta comme un mélange de résignation et de consentement.

— Je veux que vous travailliez là-dessus tous les deux, ensemble. Pas de coups de fil, et surtout pas de mails. Dan, pouvez-vous me garantir que rien de tout cela n'arrivera jusqu'au PC de crise ?

— Oui, monsieur. Je vais devoir briefer quelques-uns de mes hommes, mais je peux faire en sorte que rien ne filtre. Pendant un certain temps.

— Gabe, vous parliez de stratégie de sortie...

— Oui, monsieur.

— Il faut réfléchir tous azimuts, envisager tous les scénarios possibles. Tout anticiper, et je dis bien *tout*.

— Vous pouvez compter sur moi. Je gamberge déjà à cent à l'heure.

— Parfait. D'autres questions ?

Reese avait commencé à fouiller sa mémoire en quête de précédents historiques ou légaux. Presque machinalement, car la question de son soutien ne se posait pas. Ses seules interrogations concernaient la gravité de la situation. Un tueur en série, un tueur tout court, lié à la Maison-Blanche ?

— Monsieur, si ça s'ébruite, comment empêcher quelqu'un – et je pense notamment à la presse – de s'emparer de l'affaire ?

Cormorant fit mine de s'offusquer, mais il laissa le vice-président répondre.

— L'affaire est entre les mains du Secret Service, Gabe. On ne parle pas, ici, d'informations accessibles au grand public. (Cormorant se détendit. Reese, au contraire, se crispa.) Mais il est hors de question que je me contente d'une garantie de ce genre. Je veux que cette histoire soit traitée au plus vite, messieurs. Vite fait et bien fait. Nous avons besoin de concret. Il faut qu'on puisse y voir clair, qu'on découvre qui se cache derrière ce Zeus, ce qu'il a fait, et qu'on règle la question comme si cela n'avait jamais eu lieu.

7

Les coups durs se succédaient. Si elle avait un permis de conduire du Rhode Island, Caroline vivait à Washington depuis six mois. Et elle n'avait même pas essayé de me contacter. Son appartement en sous-sol, à l'anglaise, près de Seward Square, se trouvait à moins de deux kilomètres de chez nous. J'étais passé des dizaines de fois devant son immeuble en faisant mon jogging.

— Elle avait bon goût, observa Bree en contemplant le séjour, pas très grand, mais joliment aménagé.

Meubles et décoration d'inspiration asiatique, beaucoup de bois foncé et de bambou, des plantes vigoureuses. Sur une console laquée, près de la porte, il y avait trois galets de rivière, dont un gravé du mot « SÉRÉNITÉ ».

Je ne savais pas si je devais y voir un pied de nez du destin ou un simple rappel, mais j'aurais tout donné pour être ailleurs qu'ici, dans l'appartement de Caroline. Je n'étais pas prêt.

— Séparons-nous, proposai-je à Bree. On gagnera du temps.

À contrecœur, je décidai de commencer par la chambre.

Qui étais-tu, Caroline ? Que t'est-il arrivé ? Comment as-tu pu mourir de manière aussi atroce ?

L'une des premières choses qui attirèrent mon attention fut ce petit agenda en cuir marron, sur un bureau, près du lit. En m'en emparant, je vis voleter deux cartes de visite.

Je les ramassai. Des cartes de lobbyistes du Capitole. Les noms ne me disaient rien, mais je connaissais les sociétés pour lesquelles ces gens travaillaient.

La moitié des pages étaient vierges. Les autres, sur une période s'étendant du début de l'année aux deux prochains mois, étaient barrées de séries de dix lettres. Détail qui me sauta immédiatement aux yeux. Près de deux semaines avant sa mort, Caroline avait ainsi noté « SODBBLZHII ».

J'avais tout de suite pensé à des numéros de téléphone codés, mélangés, par souci de discrétion.

Et si, à ce stade, je me demandais encore pourquoi, c'était uniquement pour repousser l'inévitable conclusion. Après l'inspection de la grande commode en bois de rose dans son dressing, je n'eus plus guère de doutes sur l'origine des revenus qui avaient permis à ma nièce de s'offrir un tel appartement et son mobilier.

Les tiroirs du haut débordaient de toute la lingerie imaginable. Des dessous en dentelle et en satin, évidemment, mais aussi des articles en cuir – clouté ou non –, en latex, en caoutchouc, le tout parfaitement plié et rangé, comme Caroline avait sans doute appris à le faire quand elle était enfant.

Les tiroirs du bas renfermaient, eux, toutes sortes d'accessoires de bondage, de godemichés, de jouets et autres instruments dont je ne pouvais que vaguement deviner la fonction.

Isolément, rien de ce que j'avais découvert ne prouvait quoi que ce soit, mais le tout... J'eus soudain un gros coup au moral.

Était-ce pour cela que Caroline était venue vivre à Washington ? Était-ce la raison pour laquelle elle avait connu une fin aussi atroce ?

Je retournai dans le salon dans un état second, incapable de dire un mot. Bree s'était assise sur le parquet, en tailleur. Devant elle, une boîte ouverte et des photos étalées.

Elle m'en montra une.

— Je te reconnaîtrais n'importe où.

C'était une photo de Nana, Blake et moi. Je me souvenais même de la date – le 4 juillet 1976, l'été du bicentenaire. Mon frère et moi portions des canotiers en plastique cerclés de rubans rouge, blanc, bleu. Nana paraissait plus jeune que jamais et incroyablement jolie.

Bree se releva, les yeux encore fixés sur la photo.

— Caroline ne t'avait pas oublié, Alex. Elle savait qui tu étais. Je me demande bien pourquoi elle n'a pas essayé d'entrer en contact avec toi quand elle est venue s'installer à Washington.

Je pris la photo et la mis dans ma poche, ce que je n'étais pas censé faire.

— Je pense qu'elle voulait m'éviter, éviter toutes les personnes qu'elle connaissait. Elle était call-girl, Bree. Clientèle haut de gamme. Toutes spécialités.

8

De retour au bureau, où régnait une activité intensive, je tombai sur un message de l'inspecteur Fellows, en Virginie. Les empreintes relevées sur le véhicule volé correspondaient à celles d'un certain John Tucci, de Philadelphie. Le suspect était introuvable.

Coup de fil à Fellows, puis à un copain du FBI, à Washington, qui me donna les coordonnées de l'antenne des fédéraux à Philadelphie, où l'agent Cass Murdoch me fournit une autre pièce du puzzle : Tucci ne leur était pas inconnu. C'était un petit mafieux, un sans-grade qui travaillait pour la famille Martino.

Nous disposions déjà d'une piste sérieuse, alors que l'enquête venait à peine de commencer. En revanche, ce nouvel élément suggérait que le voleur n'était pas forcément l'assassin. Tucci n'avait probablement pas agi pour son propre compte.

— Auriez-vous une idée de ce que Tucci pouvait fabriquer dans la région, si loin de chez lui ?

J'avais mis le haut-parleur.

— À mon avis, répondit l'agent Murdoch, on l'a délocalisé, ou alors il a pris du galon. Des boulots plus importants, plus de responsabilités. Il a déjà été arrêté plusieurs fois, mais il n'est encore jamais allé en taule.

— La voiture a été volée à Philadelphie, souligna Bree.

— Dans ce cas, c'est qu'il vivait toujours là-bas. Je parle au passé, parce qu'il y a des risques qu'il ne soit plus de ce monde, après un fiasco pareil. Enfin, je ne sais pas ce qui est arrivé...

— Aurait-il pu avoir des clients à Washington ? demandai-je. Est-ce que la famille Martino fait régulièrement du business ici ?

— Pas que je sache, mais il y a forcément quelqu'un d'autre dans le coup. John Tucci n'avait pas l'envergure nécessaire pour monter ce genre d'opération tout seul. Quand on lui a confié le job, il a dû se dire qu'il avait de la chance. Pauvre con.

Après avoir raccroché, je pris le temps de gribouiller quelques notes et de faire une synthèse. Malheureusement, chacune des réponses fournies par Murdoch soulevait d'autres questions.

Une chose, toutefois, me semblait évidente : nous n'avions plus affaire à un simple homicide, à un acte individuel. Ce crime pouvait être l'œuvre d'un sadique sexuel, mais peut-être s'agissait-il d'une mise en scène, l'un n'excluant pas l'autre...

9

Nous n'étions pas au bout de nos découvertes, évidemment. Loin de là. C'était le genre de détails sordides qui propulsait certaines affaires à la une des journaux pendant des mois et, cette fois, je n'eus pas à attendre bien longtemps. Le Dr Carbondale m'appela alors que je rentrais chez moi. Bree avait pris sa voiture, elle me suivait.

— L'examen toxicologique n'a révélé aucune trace de poison connu, ni de stupéfiants. Un peu d'alcool dans le sang, 0,7 gramme. Au moment du décès, elle était loin d'être ivre.

Caroline n'avait donc pas été empoisonnée et elle n'était pas sous l'emprise de la drogue. Rien de très surprenant.

— Autres causes possibles ?

— Je suis de plus en plus convaincue que la question restera sans réponse. Tout ce que je peux faire, c'est écarter certaines hypothèses. Il est impossible de déterminer, par exemple, si elle a été battue, étranglée ou...

Elle s'interrompit.

— Ou jetée directement dans la machine, conclus-je à sa place, comme si je vomissais mes mots.

— Oui, fit-elle sèchement. Mais j'ai encore autre chose à vous dire.

Je serrais les dents. J'avais juste envie de taper sur quelque chose, mais il fallait que j'écoute.

— Nous avons isolé les fragments restants. Il y a des traces de morsure antérieures à la mort.

— Des traces de morsure ? (Je cherchais un endroit où m'arrêter.) Des traces de morsure humaine ?

— Je crois, oui, mais je n'ai aucune certitude à ce stade. Même dans les meilleures circonstances, il est très facile de confondre traces de morsure et contusions. C'est pourquoi j'ai réclamé un odontologue. Nous analysons des fragments d'os dont une partie du tissu a survécu, je ne peux donc voir si...

— Je vais devoir vous rappeler, la coupai-je.

Je me rangeai contre le trottoir, sur la file de droite, dans Pennsylvania Avenue, en laissant klaxonner à tout-va les automobilistes obligés de me contourner. Une telle injustice, une telle cruauté, une telle violence... En temps normal, je gère ça très bien, mais là, c'en était trop.

La tête en arrière, je me mis à insulter le plafond de la voiture, ou Dieu, ou les deux, peut-être. Comment avait-on pu laisser une horreur pareille se produire ? Je posai mon front sur le volant, puis fondis en larmes. Après quoi je fis une prière pour Caroline, si seule au moment où elle aurait tant voulu avoir quelqu'un à ses côtés.

10

Eddie Tucci savait que cette fois, il s'était planté dans les grandes largeurs. Incroyable ! Quelle erreur de confier ce boulot, n'importe quel boulot, à son neveu Johnny ! On ne l'appelait pas « Johnny le nerveux » pour rien. Maintenant, ce jeune con avait disparu dans la nature et Eddie avait passé les trois derniers jours à guetter ce qui allait lui tomber dessus.

Pour autant, mercredi soir, quand les lumières du bar s'éteignirent brusquement juste après la fermeture, Eddie ne s'inquiéta pas outre mesure. L'immeuble se délabrait, comme tout le quartier, d'ailleurs. Les plombs n'arrêtaient pas de sauter.

Eddie referma le tiroir-caisse, contourna le bar, passa la porte battante. Il réussirait bien à trouver le tableau électrique, dans l'arrière-salle.

Il n'arriva pas jusque-là.

Un sac venu de nulle part s'enfonça soudain sur sa tête. Au même instant, quelque chose lui frappa violemment le genou droit. Eddie entendit l'articulation craquer juste avant de s'effondrer en gémissant de douleur.

Ses cris n'arrêtèrent pas ses agresseurs. L'un d'eux l'immobilisa d'une puissante clé au cou tandis que l'autre lui liait les chevilles. Il ne put donner le moindre coup de poing ou de pied. On venait de le ligoter comme un animal.

— Bande d'enfoirés ! Je vais vous tuer ! Vous m'entendez ? *Vous m'entendez ?*

Apparemment pas. On le hissa sur la grande table et on lui attacha les mains aux pieds de bois à l'aide de menottes. Eddie tira, tira, mais l'acier lui entaillait les poignets. Et même en supposant qu'il réussisse à se relever, il avait l'impression que son genou était définitivement esquinté. Il était infirme.

Un bruit de robinet. Ouvert à fond.

Que se passait-il ?

11

Quand ils enlevèrent le sac qui l'aveuglait, la lumière était revenue. Tant mieux.

Enfin, pas vraiment. Eddie vit deux visages à l'envers, deux types qui le regardaient, un Blanc et un basané, peut-être portoricain. Ils avaient les fringues adéquates pour le quartier, mais leurs cheveux courts et leurs méthodes faisaient plutôt penser à des types d'une agence gouvernementale ou à des militaires. Les deux, probablement.

Et là, Eddie comprit qu'il avait toutes les raisons d'avoir peur. Ce truc, le job que son neveu avait foiré, avait clairement dégénéré.

— On cherche Johnny, commença le Blanc. Tu ne saurais pas où il est ?

— Je n'ai pas eu de nouvelles !

C'était la pure vérité. Fallait pas déconner avec ces types-là, il en était certain.

— Ce n'est pas ce que je t'ai demandé, Ed. Je t'ai demandé si tu savais où il était.

Le ton était calme. Ils le regardaient comme ils auraient observé un spécimen de laboratoire.

— Je vous le jure devant Dieu, je ne sais pas où est Johnny. Vous devez me croire.

— D'accord, je comprends, opina le Latino. Je te crois, Ed. Mais bon, autant être sûr...

Eddie eut un haut-le-cœur avant même qu'ils ne lui tombent dessus. Le Blanc l'immobilisa de nouveau brutalement d'une clé au cou, lui attrapa la mâchoire et lui enfonça le manche d'un tournevis dans la bouche. Puis il lui pinça le nez.

Eddie vit alors l'autre lui braquer un tuyau en caoutchouc, un tuyau vert, sur le visage. L'eau s'engouffra dans sa bouche.

Eddie commença à suffoquer. C'était l'horreur. Le débit de l'eau l'empêchait de déglutir. Il ne pouvait plus respirer. Il aurait voulu recracher le tournevis, mais il ne faisait que mordre le manche.

Très vite, son thorax s'embrasa. Ses poumons réclamaient de l'air. Il tenta de se redresser, mais les menottes le plaquèrent contre la table. La pression montait au fond de ses yeux et de son nez, et il comprit brusquement qu'il allait mourir.

C'est alors que la panique prit véritablement le dessus. Éclipsés la douleur, les bruits de suffocation. Il n'y avait plus que cette vague d'épouvante, pire que le plus horrible des cauchemars, car là, c'était bien réel. Cela se passait dans l'arrière-salle de son petit bar, à Philadelphie.

Sur le moment, Eddie ne se rendit même pas compte que l'eau avait cessé de couler. Le type, le Blanc, pencha la tête de côté, retira le tournevis et le laissa recracher une minute. Eddie eut l'impression qu'il allait y laisser un poumon.

— La plupart des gens tiennent deux, trois minutes avant de craquer. Je parle de militaires, bien entendu. (L'un des deux hommes lui tapota la bedaine.) Tu n'as pas vraiment le profil, Ed. Je te repose donc la question : est-ce que tu sais où est Johnny ?

Eddie parvint tout juste à éructer quelques mots.

— Je vais le trouver. Je vous jure que je vais le retrouver !

— Tu vois, c'est ça ce que je déteste chez les mafieux. (La voix se rapprocha de son oreille gauche.) Vous dites toujours ce qui vous arrange, quand ça vous arrange. L'intégrité, c'est un concept qui vous dépasse. Vous n'êtes pas des gens fiables.

— Laissez-moi une chance ! Je vous en supplie !

— Tu ne saisis pas, Ed. Ta chance, elle est là. Ou tu sais où se planque Johnny, ou tu ne sais pas. Alors, c'est oui ou c'est non ?

— Je ne sais pas ! balbutia Eddie, au bord de la folie. Je vous en supplie... je ne sais pas.

Ils lui cassèrent deux dents en lui remettant le tournevis dans la bouche. Eddie serra les mâchoires, tenta vainement de se débattre, implora qu'on l'épargne, jusqu'à ce que le torrent d'eau froide le réduise de nouveau au silence. Et très vite, il se retrouva au même point qu'une minute plus tôt, persuadé d'être à deux doigts de mourir.

Cette fois-ci, il ne se trompat pas.

12

Les ramifications de cette étrange affaire ne cessaient de s'étendre, mais une question me taraudait particulièrement : *d'autres personnes avaient-elles connu le sort de Caroline* ? *Était-ce possible ou, même, probable ?*

Obtenir un recensement fiable des personnes disparues à Washington se révéla étonnamment compliqué. Après avoir contacté le Youth Investigation Bureau, qui dispose d'un fichier central, je dus appeler des enquêteurs dans toute la ville, district par district. Tout le monde peut consulter les rapports d'incident, mais moi, il me fallait des fiches 252, ces notes auxquelles le grand public n'a pas accès.

Je comptais les passer au crible en m'intéressant aux étudiants, aux fugueurs ou fugueuses et, surtout, aux jeunes arrêtés pour prostitution ou soupçonnés de se prostituer.

Après le dîner, je montai à mon bureau, sous les combles, avec tous les documents que j'avais rapportés à la maison. Je commençai par dégager un mur pour y coller les photos des personnes disparues, les fiches sur lesquelles j'avais résumé les principaux éléments des différents dossiers, ainsi qu'un plan des rues de Washington avec des épingles indiquant les lieux où les victimes avaient été vues pour la dernière fois.

Quand ce fut fini, je reculai de quelques pas pour contempler le résultat, histoire de voir si quelque chose s'en détachait.

Il y avait Jasmine Arenas, dix-neuf ans, interpellée deux fois pour racolage. Elle tapinait à l'angle de la Quatrième et de K Street, où elle avait été aperçue pour la dernière fois montant dans une BMW bleu nuit, le 12 octobre de l'année dernière.

Becca York avait à peine seize ans. Très jolie, brillante élève, elle avait quitté le lycée Dunbar dans l'après-midi du 21 décembre et nul n'avait eu de ses nouvelles depuis. Ses parents adoptifs penchaient pour la thèse de la fugue ; selon eux, elle s'était sans doute enfuie à New York ou sur la côte ouest.

Timothy O'Neill, vingt-trois ans, faisait des passes à domicile mais vivait toujours chez ses parents, à Spring Valley, au moment de sa disparition. Il avait pris sa voiture vers 22 heures, le 29 mai, et n'était jamais rentré.

Je ne m'attendais pas vraiment à ce qu'un profil me saute aux yeux si je reliais tous ces points. J'étais plutôt en train d'entasser du foin. Demain, nous chercherions l'aiguille dans la meule.

Cela impliquait un énorme travail de terrain, mais si un seul de ces faits-divers se révélait avoir un lien avec le meurtre de Caroline, l'enquête ferait sûrement un grand bon en avant. C'était le genre de crime qui me poussait à me demander pourquoi j'en redemandais, année après année. Je savais que, d'une certaine manière, la traque était devenue pour moi comme une drogue, mais je me répétais que le jour où je comprendrais pourquoi, le besoin se ferait moins ressentir et peut-être pourrais-je même rendre ma plaque. Pour l'instant, ce n'était pas le cas. Bien au contraire.

Même si Caroline n'avait pas été ma nièce, j'aurais été planté là, dans mon bureau sous les combles, à 2 heures du matin, les yeux fixés sur cet horrible panneau, bien décidé à découvrir qui l'avait assassinée, elle et tous les autres, et pourquoi.

Les restes.

Je n'arrivais pas à me sortir ce mot, cette idée, de la tête. Rien n'y faisait.

13

Cette nuit-là, je m'endormis comme une masse. Le réveil fut tout aussi brutal. Je pris mon petit déjeuner avec Nana, Bree et les enfants, mais au moment de quitter la maison, j'étais encore dans le cirage. Ce qui n'augurait rien de bon, si tant est que l'on croie aux présages...

La seule obligation à laquelle je ne pouvais me soustraire ce jour-là était mon rendez-vous avec Marcella Weaver. Trois ans plus tôt, le démantèlement de son réseau de call-girls de luxe avait fait la une de toute la presse et on la surnommait désormais « la Tenancière de la rocade », en référence à l'autoroute qui contournait la capitale *via* le Maryland et la Virginie. Son carnet d'adresses, dont il avait été beaucoup question, n'avait jamais été divulgué, mais à Washington, un certain nombre d'hommes influents tremblaient encore.

Depuis, Marcella Weaver avait rebondi, comme l'avait fait Heidi Fleiss avant elle. Elle avait son émission de radio, diffusée par de nombreuses stations, deux boutiques de lingerie, et facturait cinq mille dollars de l'heure, disait-on, ses apparitions publiques. Des tarifs qui excédaient, paradoxalement, ceux de ses ex-recrues.

Tout cela m'importait peu. Je voulais simplement qu'elle me donne son avis sur cette vague de disparitions suspectes. Elle avait accepté de me rencontrer, chez elle, à la condition que son avocat puisse être présent. J'avais dit oui.

Elle habitait un superbe duplex non loin de Dupont Circle. Elle m'ouvrit elle-même la porte. Look chic décontracté : jean, sweat en cachemire noir. Boucles d'oreilles en diamants, croix sertie de diamants.

— Dois-je vous appeler inspecteur Cross ou docteur Cross ? me demanda-t-elle.

— Inspecteur, mais votre question m'impressionne.

— Oh, on ne se débarrasse pas comme ça de ses vieilles habitudes, répondit-elle en souriant, étonnamment détendue. Je suis prudente. J'ai fait ma petite enquête. Entrez, inspecteur.

Dans le séjour, elle me présenta son avocat, David Shupike. Je l'avais déjà vu à l'occasion de quelques procès très médiatisés. Sinistre, un début de calvitie, la caricature du type seul. On imaginait aisément dans quelles circonstances Marcella et lui avaient pu faire connaissance.

Elle me servit un grand verre de San Pellegrino et nous nous assîmes sur un canapé en cuir d'où j'avais une vue plongeante sur la ville.

— Commençons par éclaircir un point. (Je fis glisser sur la table basse une photo de Caroline.) L'avez-vous déjà vue ?

— Ne répondez pas, Marcella.

Shupike voulut repousser la photo, mais Marcella Weaver l'arrêta. Elle contempla le cliché, puis murmura quelques mots à l'oreille de l'avocat, qui finit par acquiescer.

— Je ne la reconnais pas, me dit-elle. Et sachez que si je l'avais reconnue, je n'aurais pas suivi le conseil de David. Je tiens à vous aider, si je le peux.

Elle me paraissait sincère, et je choisis de la croire.

— J'essaie de découvrir pour qui travaillait Caroline lorsqu'elle a été tuée, et je me demandais si vous aviez une piste à m'indiquer.

Elle ramena ses petits pieds nus sur le canapé, songeuse.

— À combien se montait son loyer ?

— À environ trois mille dollars par mois.

— Alors ce n'est pas en tapinant qu'elle les gagnait. Si ce n'est déjà fait, vous devriez regarder si une agence a mis son profil en ligne. Presque toutes ont leur site, aujourd'hui. Cela dit, si cette jeune femme était vraiment une call-girl de luxe, ce sera beaucoup plus compliqué.

— Pourquoi ?

Elle eut un sourire courtois.

— Parce que tout le monde ne vise pas forcément une clientèle qui cherche ses filles sur le Net.

— Vous marquez un point, mais j'ai déjà fait le tour des sites spécialisés.

J'aimais bien cette femme, en dépit de son parcours professionnel.

— Et sinon ? insistai-je.

— Il serait utile de savoir si elle recevait ses clients ou si elle se déplaçait chez eux. Les deux, peut-être. Et quelle était sa spécialité. Dominante, soumise, duos lesbiens, massages, partouzes, ce genre de choses.

J'acquiesçai, mais pour moi, ce n'était pas facile. Et cela ne faisait qu'empirer. Chaque nouveau développement me rappelait un aspect de la vie de Caroline que je ne voulais pas connaître. Je bus une gorgée d'eau minérale.

— Et en ce qui concerne les filles ? D'où viennent-elles ?

— Je vais vous dire une chose : mon filon, c'était la presse étudiante. Ces gamines s'imaginent qu'elles peuvent gérer n'importe quoi. Il y en a déjà beaucoup qui méprisent les mecs. Certaines sont juste à la recherche d'une aventure. (Elle pointa le doigt vers la poche dans laquelle j'avais rangé la photo de Caroline.) C'était peut-être pour financer ses études de droit. Ou même de médecine, aussi surprenant que ça puisse paraître. Une de mes meilleures filles était une future chirurgienne.

Elle s'interrompit, se pencha vers moi pour me regarder dans les yeux.

— Excusez-moi, mais… est-ce que cette jeune fille vous était particulièrement chère ? Si vous permettez que je vous pose la question. Vous semblez… triste.

En temps normal, cette question m'aurait effectivement dérangé, mais Marcella Weaver s'était montrée d'une telle franchise, si disposée à m'aider…

— Caroline était ma nièce.

Elle se rassit, la main sur la bouche, une main manucurée.

— Je n'ai jamais vu une de mes filles subir la moindre violence. Celui qui a fait ça mérite de souffrir avant de mourir, si vous voulez mon avis.

J'avais le sentiment d'en avoir déjà assez dit, mais si son avocat n'avait pas été là, sans doute aurais-je répondu à Marcella Weaver que je partageais entièrement son point de vue.

14

Je sentais que l'enquête progressait, mais le reste de la journée s'annonçait pénible, car il fallait que j'interroge les familles des disparus. Sampson vint me prêter main-forte et nous passâmes tout l'après-midi à rencontrer des proches désemparés.

Au moment de sonner chez les parents de Timothy O'Neill, je me fis la réflexion que, pour l'instant, nous n'avions réussi qu'à raviver des angoisses.

Les O'Neill vivaient à Spring Valley. Leur maison en brique et en pierre, de style colonial, relativement modeste pour le quartier, n'en valait pas moins quelques millions de dollars à mon humble avis. Comme beaucoup d'habitants de cette banlieue huppée, les O'Neill faisaient partie de l'énorme machine qu'est Washington. Ils avaient tout de la bonne vieille famille catholique irlandaise, un tableau qui tranchait avec les activités de leur fils disparu.

— Nous aimons Timothy, nous l'aimons beaucoup, déclara Mme O'Neill dès le début de l'entretien. Je sais bien que vous allez nous trouver naïfs, mais l'amour que nous vouons à Timothy est inconditionnel.

Nous étions debout dans le séjour, près d'un piano quart de queue couvert de photos de famille. Mme O'Neill en tenait une, la même que celle que j'avais fixée sur le mur de mon bureau, en plus grand. Une petite voix me disait : pourvu que leur fils ait simplement voulu fuir Washington.

— Vous disiez qu'il travaillait comme barman ? demanda Sampson.

— C'est ce que nous a dit Tim. Il mettait de l'argent de côté pour pouvoir s'installer à son compte.

— Et où travaillait-il ?

Les époux se regardèrent. Mme O'Neill était déjà en larmes.

— C'est ça qui est terrible, bredouilla-t-elle. Nous ne savons même pas. C'était une sorte de club privé. Timothy a dû signer un accord de confidentialité. Il nous a dit qu'il ne pouvait pas en parler, que c'était pour lui une question de sécurité.

M. O'Neill prit le relais.

— Sur le moment, nous avons eu l'impression qu'il en faisait un peu trop, mais... maintenant, je ne sais plus ce que je dois croire.

Je pense qu'il le savait, en fait, mais mon boulot n'était pas de convaincre les O'Neill. Ils n'avaient qu'une idée en tête : retrouver leur fils. Répondre aux questions de deux enquêteurs était pour eux une épreuve. Je voulais la rendre la moins pénible possible.

Pour finir, je demandai à voir la chambre de Timothy.

Les O'Neill nous firent traverser la cuisine et une buanderie jusqu'à un studio avec salle de bains et entrée indépendante, sans doute un ancien logement de service. Il était petit, mais offrait toute l'intimité voulue.

— Nous n'avons touché à rien, précisa M. O'Neill, ajoutant aussitôt d'un ton presque affectueux : Comme vous le voyez, le rangement n'était pas son fort.

Moi, j'étais déjà en train de me rappeler que le désordre est bien utile lorsqu'on veut dissimuler quelque chose. La pièce, moquette y compris, était jonchée de vêtements. Visiblement, Timothy n'était pas encore devenu adulte...

Il y en avait partout, sur le lit, sur le fauteuil, sur le bureau. Des jeans, des T-shirts, mais aussi beaucoup de vêtements plus chics, aux griffes prestigieuses. Timothy avait fait l'effort de garder sur cintres toute une série de costumes et de vestes, ainsi que trois manteaux en cuir. Deux Ralph Lauren, un Hermès.

Et c'est là que je finis par trouver l'aiguille dans la meule de foin. Sampson et moi étions en train de passer la pièce au peigne fin quand, au bout d'un quart d'heure, je découvris un bout de papier dans la poche d'une des vestes.

Et sur ce bout de papier, il y avait une chaîne de dix caractères, comme dans l'agenda de Caroline. « AFIO-ZMBHCP ».

Je brandis ma trouvaille pour la montrer à Sampson.

— Regarde-moi ça, John.

Mme O'Neill, qui attendait à l'extérieur, rentra dans la pièce.

— Qu'est-ce que c'est ? Je vous en prie, dites-le-nous.

— Ce pourrait être un numéro de téléphone, répondis-je, mais je n'en suis pas sûr. Je suppose que Timothy n'a pas laissé son téléphone ici.

— Non. Il l'avait avec lui vingt-quatre heures sur vingt-quatre. Comme tout le monde, aujourd'hui...

Elle esquissa un semblant de sourire et je fis de même, difficilement, sachant qu'il y avait désormais bien des risques qu'elle ne revoie jamais son fils, et incapable de penser à autre chose.

15

Depuis que les flics l'avaient arrêté sur la I-95, Johnny Tucci respectait des règles de survie très strictes. Pour commencer, il ne se déplaçait jamais deux jours de suite dans la même direction et ne passait jamais plus de vingt-quatre heures au même endroit. En fait, si la jeune caissière toute maigre du 7-Eleven de Cuttingsville n'avait pas été si sympa, si disponible, et s'il avait pu se souvenir de la dernière fois où il avait tiré un coup, il aurait sans doute déjà mis les voiles depuis longtemps.

Ouais, j'aurais pu, j'aurais dû, se disait-il.

Il était en train de remettre le couvert avec la petite caissière quand la mince porte de la chambre 5 du Park-It Motel s'ouvrit. Deux types en costume gris entrèrent tranquillement, comme s'ils avaient la clé. Comment avaient-ils fait ? Enfin, bref, ils étaient à l'intérieur.

Johnny fit un grand bond sur le lit et tira un drap pour se couvrir. La fille eut le même réflexe. Liz ? Lisl ?

— Johnny Tucci ? Le *fameux* John Tucci ?

L'un des deux intrus, celui qui avait posé la question, était blanc. L'autre était un Latino. Brésilien, peut-être ? Peu importait qui étaient ces types, mais il savait très bien pourquoi ils étaient venus au motel. Ce qui ne l'empêcha pas de jouer le tout pour le tout.

— Vous vous êtes gourés de chambre, les mecs. J'ai jamais entendu parler de ce John Je-sais-pas-quoi. Maintenant, soyez gentils, barrez-vous !

Le Latino tira avant même que Johnny ne remarque qu'il tenait un flingue. Tucci tressauta et crut que son cœur venait de s'arrêter. Quand il regarda, la fille, Liz ou Lisl, était assise contre la tête de lit, l'air idiot, un trou dans le front, avec du sang qui lui coulait jusqu'au bout du nez et gouttait sur sa poitrine.

— Oh ! putain !

Johnny tomba du lit plus qu'il ne se leva, puis recula en crabe jusqu'à un coin de la pièce. On n'avait encore jamais pointé une arme sur lui.

— On recommence, fit l'autre, le Blanc. Johnny Tucci ? Le *fameux* Johnny Tucci ?

— Ouais, ouais, d'accord ! répondit-il, les mains en l'air, dont une sur le côté du visage pour ne pas voir la fille, morte, dégoulinante de sang.

— Comment vous m'avez trouvé ? Vous voulez quoi ? Pourquoi vous lui avez tiré dessus ?

Les deux types se regardèrent en rigolant. Ils se payaient sa tête.

De toute évidence, ils ne faisaient pas partie de la Famille. Ils étaient trop « blancs » pour ça, même le basané.

— Vous êtes qui, putain ? La CIA, ou je ne sais quoi ?

— Hélas pour toi, John, c'est pire que ça. On est des anciens des stups. Moins de paperasse, si tu vois ce que je veux dire.

Johnny crut comprendre. Ils n'allaient pas faire de rapport sur ce qui était arrivé à la pauvre Liz ou Lisl. Comme si elle avait eu un flingue caché dans la chatte ?

Le Blanc traversa rapidement la pièce et expédia un coup de pied dans les parties intimes de Johnny.

— Ce qui ne veut pas dire qu'on aime perdre notre temps à courir après de pauvres merdes dans ton genre. Allons-y. Mets ton froc.

— Je... je ne peux pas. Où va-t-on ?

Plié en deux, les mains sur l'entrejambe, Johnny aurait tant voulu pouvoir prendre la fuite. Il avait l'impression que son estomac s'était retourné.

— Tuez-moi, qu'on en finisse.

— Ouais, t'aimerais bien, hein ? Rejoindre ta petite copine dans l'éternité. Malheureusement, mon pote, ça ne va pas être aussi simple.

Les deux types entreprirent de l'envelopper dans un drap. Ils tirèrent les coins, les nouèrent. Johnny ne put même pas retirer ses mains pour faire quoi que ce soit. Puis ils le traînèrent à l'extérieur comme un vulgaire sac de linge sale.

C'est à ce moment-là qu'il se serait mis à hurler s'il avait eu assez d'air. Car Johnny venait de comprendre où ils allaient, et ce qui allait se passer ensuite.

16

La mère de Caroline gara sa Chevrolet Suburban noire sur le parking du cimetière de Rock Creek. Je ne l'avais pas vue depuis plus de vingt ans. On s'était eu au téléphone pour régler les détails des obsèques, mais maintenant, je ne savais plus à quoi m'attendre, ni que lui dire.

Je lui ouvris la portière.

— Bonjour, Michelle.

Elle n'avait guère changé. Toujours belle, toujours cette longue, exubérante chevelure désormais veinée de mèches grises et vaguement retenue par une tresse dont le tortillon lui caressait les reins.

Son regard, lui, n'était plus le même. Un regard si vif, jadis. On voyait qu'elle avait pleuré, mais ses yeux étaient désormais secs. Secs, cerclés de cernes rouges, et tellement fatigués...

— J'avais oublié à quel point tu lui ressemblais, dit-elle.

Elle parlait de Blake. On voyait tout de suite que nous étions frères. Le visage, surtout. Blake était également enterré ici, à Rock Creek.

Je tendis le bras et elle le prit, ce qui m'étonna un peu. Nous nous mîmes en marche vers l'église St. Paul. Le reste de la famille suivait, quelques mètres derrière.

— Michelle, je veux que tu saches que c'est moi qui suis chargé de l'enquête sur la mort de Caroline. Si tu as besoin de quoi que ce soit...

Réponse immédiate, laconique :

— Non, Alex.

Puis sa voix se fit tremblante.

— Je vais mener ma petite à son dernier repos... (Elle s'arrêta pour se reprendre, le temps d'une respiration.) Et après, je rentrerai chez moi, à Providence. Je ne peux pas faire plus pour l'instant.

— Tu n'es pas obligée de traverser cette épreuve toute seule. Tu peux venir habiter à la maison le temps nécessaire. Nana et moi, on aimerait bien. Je sais que le temps a passé depuis...

— Depuis que tu as laissé tomber ton frère.

Et voilà. Vingt années de malentendus résumées en quelques mots.

Vers la fin, Blake ne s'exprimait plus que sous l'emprise de la drogue. Il avait coupé les ponts avec moi quand j'avais commencé à insister pour qu'il se fasse soigner, mais ce n'était manifestement pas ce qu'il avait raconté à Michelle, qui, à l'époque, prenait également de l'héroïne, y compris quand elle était enceinte de Caroline.

— En réalité, c'est l'inverse, répondis-je aussi délicatement que possible.

Pour la première fois, elle haussa le ton.

— Je ne peux pas, Alex ! Je ne peux pas retourner dans cette maison, alors ne me le demande pas !

— Bien sûr que tu peux.

Nous nous retournâmes. C'était Nana qui avait parlé. Bree, Jannie et Ali arrivaient de part et d'autre. Sa garde d'honneur, sa protection rapprochée.

Elle s'avança vers Michelle et la prit dans ses bras frêles.

— Il y a longtemps que nous vous avons perdues de vue, Caroline et toi. Et aujourd'hui, nous avons perdu Caroline pour de bon. Il n'empêche que tu fais toujours partie de cette famille, à jamais.

Nana recula et posa la main sur l'épaule de Jannie.

— Janelle, Ali, je vous présente votre tante Michelle.

— Mes sincères condoléances, dit Jannie.

— Ce qui a pu se passer avant ce jour, reprit Nana, et ce qui peut se passer demain n'ont strictement aucune importance aujourd'hui. (Dans sa voix teintée d'émotion affleuraient des traces de ses origines baptistes et sudistes.) Nous sommes là en mémoire de Caroline avec tout l'amour que nous portons dans nos cœurs. Quand ces adieux seront terminés, nous pourrons nous inquiéter de la suite.

Michelle semblait tiraillée. Elle nous regarda tous, à tour de rôle, sans prononcer un mot.

— Bon, conclut Nana en se tapotant la poitrine. Oh, Seigneur, tout ce chagrin me donne la nausée. Michelle, tu veux bien me prendre le bras ?

Je savais que Nana était, elle aussi, très affectée. Caroline était son arrière-petite-fille, disparue à jamais, alors qu'elle ne l'avait jamais connue. Mais pour l'instant, quelqu'un d'autre avait besoin de son aide. Et là, je crus comprendre. Parfois, la meilleure, l'unique manière de veiller sur les morts est de veiller sur les vivants.

17

Michelle rentra effectivement chez elle, dans le Rhode Island, le soir même. Je l'avais mise dans un avion à destination de Providence, non sans m'être assuré qu'elle avait mes différents numéros de téléphone. J'espérais qu'elle nous donnerait de ses nouvelles, lui avais-je dit, quand elle se sentirait prête.

Le lendemain matin, j'étais de nouveau à pied d'œuvre, plongé dans l'enquête sur le meurtre atroce de sa fille et d'autres, peut-être...

Dès mon arrivée au bureau, je commençai par étudier les numéros de téléphone relevés chez Caroline et dans la chambre de Timothy O'Neill.

J'avais prévu de faire appel au FBI si nécessaire, mais quelque chose me disait que la clé du décryptage de ces numéros était sans doute un élément que Caroline et Timothy utilisaient au quotidien. Je devais être capable de la découvrir moi-même.

Je recopiai tout d'abord les chaînes de caractères sur une feuille de papier afin de les avoir bien en tête.

Je pouvais difficilement attribuer un chiffre différent aux vingt-six lettres de l'alphabet puisqu'à partir du J, soit dix, cela ne correspondait plus aux chiffres des touches de téléphone.

Et si, au contraire, je partais du clavier ?

J'ouvris mon téléphone portable et pris note.

ABC – 2
DEF – 3
GHI – 4 (I = 1 ?)
JKL – 5
MNO – 6 (O = 0 ?)
PQRS – 7
TUV – 8
WXYZ – 9

Les touches un et zéro ne correspondaient à aucune lettre, bien sûr, mais il me paraissait logique de leur attribuer le I et le O.

Ce qui me laissait le G et le H pour le chiffre quatre, et le M et le N pour le six.

En utilisant cette méthode pour transcrire la première série de lettres, BGEOGZAPMO, j'obtins 2430492760. Je tapai les trois premiers chiffres sur Google pour voir s'il s'agissait d'un indicatif téléphonique. Recherche infructueuse.

Jugeant qu'il était prématuré d'abandonner mon idée, je décidai d'insister. Je convertis le reste de ma liste en numéros, dont je fis une colonne pour voir si un détail me sautait aux yeux.

Effectivement, près de la moitié des numéros commençaient par un deux.

Et il ne me fallut pas longtemps pour remarquer que chacun de ces numéros comprenait un zéro en quatrième position et un autre deux en septième position.

202, c'est l'indicatif de Washington.

Je repris le premier numéro en soulignant les trois chiffres concernés.

2430492760

Les pièces du puzzle se mettaient progressivement en place. En étudiant les numéros ne comportant pas ce 202, je vis que tous, sauf trois, laissaient apparaître un 703 ou un 301, les indicatifs de certaines zones de la Virginie et du Maryland, deux états qui bordent la capitale.

Et dans les trois derniers, je découvris des indicatifs correspondant à la Floride, à la Caroline du Sud et à l'Illinois – vraisemblablement des clients qui n'étaient pas de la région.

Nouvel examen de ma première série. Si les premier, quatrième et septième chiffres représentaient un indicatif régional, pourquoi ne pas imaginer que les deuxième, cinquième et huitième correspondaient à un indicatif d'opérateur téléphonique ? Je recommençai à noter.

2430492760 = 202
2430492760 = 447
2430492760 = 3960
202-447-3960

Question suivante : ce 447 était-il bien l'indicatif d'un opérateur de Washington ? Je pris l'annuaire. Oui, j'avais vu juste.

Pour la première fois depuis le début de mon enquête, la journée s'annonçait bonne, pour ne pas dire excellente.

Après avoir déchiffré tout ce que j'avais glané pour l'instant, je passai un coup de fil à Esperanza Cruz, une amie qui travaillait pour l'opérateur. Je savais que les abonnés inscrits sur liste rouge ne figuraient pas dans les annuaires inversés dont nous disposions. Il ne fallut qu'une quinzaine de secondes à Esperanza pour trouver le premier nom.

— Là, tu m'intrigues, me dit-elle. C'est le numéro de Ryan Willoughby, sur liste rouge. Que lui reproche-t-on, à part d'être sinistre ?

J'étais surpris, mais pas vraiment abasourdi. Ryan Willoughby était le présentateur du journal du soir, à Washington, sur une chaîne nationale.

— Esperanza, si toi et moi étions réellement en train d'avoir cette conversation, je pourrais te le dire, mais comme nous ne nous sommes jamais parlé aujourd'hui…

— Ah, je vois. Ça, c'est l'histoire de ma vie, Alex. Bon, le numéro suivant ?

En quelques minutes, j'eus ma liste de quinze noms. Six m'étaient familiers. Il y avait notamment un membre du Congrès en exercice, un joueur de football professionnel, et le directeur général d'un cabinet de conseil en énergie, l'un des plus réputés de la capitale. Cette affaire prenait des proportions inquiétantes. Quand je pensais à la nature des rapports que ces hommes entretenaient avec Caroline, j'en avais la nausée.

J'appelai ensuite Bree, qui reconnut deux autres noms. Celui d'un associé de Brainard & Truss, une agence de relations publiques spécialisée en communication politique qui avait pignon sur rue près du Capitole. Et celui d'une femme, Randy Varrick, porte-parole du maire de Washington.

— Il va y avoir du grabuge, me dit-elle. Ce sont de grosses fortunes qui vont se défendre bec et ongles.

— Qu'elles se défendent. Nous serons prêts. En fait, je vais aller rendre ma première petite visite dès maintenant, en personne.

18

De gros poissons, et pas qu'un seul. Qu'est-ce que cela cachait, et comment en était-on arrivé à la mort de Caroline ? Jusqu'où cette affaire allait-elle nous mener ?

Du Daly Building, sur Indiana, il me fallut moins d'un quart d'heure pour rejoindre les bureaux de Channel Nine, sur Wisconsin. À mon arrivée, j'étais toujours aussi remonté. En voyant ma plaque, le vigile me laissa passer. Je pris l'ascenseur pour me retrouver au deuxième étage, face à une hôtesse d'accueil derrière laquelle trônaient un grand « 9 » ainsi que les visages des journalistes de la chaîne.

J'exhibai ma plaque en pointant l'index vers le mur.

— C'est lui que je cherche.

Elle enfonça une touche sans me quitter des yeux.

— Judy ? J'ai ici un policier qui demande Ryan.

Elle mit la main sur le combiné.

— C'est à quel sujet ?

— Dites-lui que je me ferai un plaisir de communiquer cette information à tous ceux et celles que ça intéresse si je ne l'ai pas en face de moi dans les deux minutes.

Environ quatre-vingt-dix secondes plus tard, on venait me chercher. Je passai devant la porte du studio. Dans le fond, il y avait une série de bureaux donnant sur la rue. Ryan Willoughby m'attendait, visiblement mal à l'aise, comme si sa cravate l'étranglait. Je reconnaissais à peine le blond affable et policé que j'avais si souvent vu présenter le journal.

Il ferma la porte derrière moi.

— C'est quoi, cette histoire ? Vous débarquez ici comme Eliot Ness, ou Rudolph Giuliani à l'époque où il était procureur.

Je lui montrai une photo de Caroline et répondis, aussi calmement que possible :

— Cela concerne cette jeune femme.

L'espace d'une seconde, je le vis réagir puis se reprendre. Il était plus intelligent qu'il n'y paraissait.

— Elle est jolie. Qui est-ce ?

— Autrement dit, vous ne l'avez jamais vue ?

Il eut un rire défensif et prit un ton plus professionnel.

— Ai-je besoin d'un avocat ?

— Nous avons trouvé votre numéro de téléphone chez elle. Elle a été assassinée.

— Je suis désolé. Qu'elle ait été tuée. Beaucoup de gens ont mon numéro. Ou peuvent l'obtenir.

— Beaucoup de call-girls ?

— Écoutez, j'ignore ce que vous me voulez, mais il s'agit manifestement d'une méprise.

À mes yeux, désormais, derrière le personnage médiatique, il y avait bien une pourriture. Ce type se fichait complètement de Caroline et de ce qui lui était arrivé.

— Elle avait vingt-quatre ans, ajoutai-je.

Je brandis encore une fois la photo.

— Quelqu'un l'a mordue à pleines dents. On l'a probablement violée avant de la tuer. Puis on a mis son corps dans un broyeur à bois. Nous avons retrouvé ses restes dans un sac en plastique transporté par un mafieux.

— Qu'essayez-vous de... Pourquoi me racontez-vous ça ? Je ne connais pas cette fille.

Je regardai ma montre.

— Je vais vous proposer un marché, Ryan. Une offre valable pendant les trente prochaines secondes. Vous me dites comment vous êtes entré en contact avec elle, tout de suite, et je ne vous cite pas dans mon enquête. Sauf, cela va de soi, si les faits dont vous êtes coupable vont bien au-delà de la simple complicité de proxénétisme.

— S'agit-il d'une menace ?

— Vingt secondes.

— Même si j'avais la moindre idée de ce que vous me racontez, qu'est-ce qui me prouve que vous êtes bien celui que vous prétendez être ?

— Rien. Quinze secondes.

— Excusez-moi, inspecteur, mais vous pouvez aller vous faire voir.

J'avais serré le poing, prêt à frapper, mais je retins mon geste. Willoughby tressaillit et fit un pas en arrière.

— Sortez de mon bureau avant que je ne fasse venir la sécurité.

J'attendis la fin des trente secondes.

— Je vous reverrai aux infos. Et ce soir-là, croyez-moi, vous ne serez pas face caméra.

19

Plus d'une trentaine de kilomètres de forêt – une forêt dense, ancienne – séparaient la cabane de Remy Williams du reste de la Virginie. Une région sauvage, intacte, où il jouissait d'une intimité sans égale. Ici, quelqu'un pouvait hurler toute une nuit sans que quiconque l'entende.

Cela dit, des cris, des complications, il n'y en avait jamais eu tant que ça. Remy appréciait l'efficacité et il était très compétent dans son domaine.

L'élimination des déchets.

Ce qu'il n'aimait pas, c'étaient les surprises – comme ces phares qui balayèrent sa cabane, juste au-dessus de la fenêtre, alors que la nuit venait de tomber.

Quelques secondes plus tard, il sortit par la porte de derrière avec l'un des trois Remington 870 à pompe qu'il gardait précisément pour cette raison – les visites importunes. Il courut se mettre en position sur le talus, à côté de la cabane, d'où il vit parfaitement la berline sombre qui s'arrêtait devant chez lui.

Une Pontiac, noire ou bleu nuit.

Deux hommes descendirent.

— Il y a quelqu'un ? lança l'un d'eux.

Remy reconnut la voix, mais n'abaissa pas pour autant son arme.

— Qu'est-ce que vous fichez ici ? hurla-t-il. Personne ne m'a prévenu.

Les deux ombres se tournèrent vers lui.

— Du calme, Remy. On l'a trouvé.

— En vie ?

— Pour l'instant.

Remy fit le tour et, une fois sur la terrasse, troqua son fusil contre une lanterne à piles, qu'il alluma.

— Et l'autre ? La fille qui s'est tirée ?

— Ça, c'est pas encore réglé, répondit le péteux, le Blanc.

Remy ignorait leur nom, à l'un comme à l'autre, et il ne tenait pas à le connaître, mais il savait que le basané était le plus intelligent des deux, et le plus dangereux. Il ne disait jamais rien. C'était un tueur, un vrai.

Remy se dirigea vers l'arrière de la voiture et tapa sur le coffre avec sa lanterne.

— Ouvrez-moi ça.

20

À l'intérieur, le jeune voyou était nu comme au premier jour, à moitié couvert d'un drap sale, une double couche d'adhésif sur la bouche. En voyant Remy, il s'agita frénétiquement comme si, dans ce coffre, il y avait un recoin où il aurait pu se cacher.

— Comment se fait-il qu'il n'ait rien sur lui ? Quel intérêt ?

— Il était en train de sauter une fille quand on l'a trouvé.

— Et elle… ?

— On s'en est occupés.

— Ah, vous auriez dû me l'amener, je l'aurais mise en lieu sûr, comme lui.

Remy se tourna vers le jeune, qui s'était calmé mais dont les yeux n'arrêtaient pas de bouger.

— Il est marrant, non ? On dirait une petite gerbille.

Il attrapa le gamin, le redressa et le força brutalement à se retourner pour qu'il distingue le vieux broyeur à bois, qui avait bien une vingtaine d'années, dans le faisceau des phares.

— Bon, tu sais pourquoi t'es là, alors je vais t'épargner les détails. Je veux juste que tu me dises une chose, et je veux que tu réfléchisses bien avant de répondre. T'as déjà parlé de cet endroit à quelqu'un ? À qui que ce soit ?

Le gosse secoua la tête bien plus que nécessaire – *non, non, non, non, non*.

— Tu en es bien sûr, fiston ? Tu me mentirais pas, hein ? Surtout maintenant. Sûr ?

La tête se balança dans l'autre sens, cette fois, à toute vitesse – *oui, oui, oui.*

Remy éclata de rire.

— Vous avez vu ça ? Il hoche la tête comme un petit chien en plastique. Vous le voulez pas pour votre tableau de bord ?

Il s'accroupit pour se mettre face au gamin, prit son crâne entre ses paumes et se mit à l'agiter de haut en bas, de gauche à droite, en riant.

— Oui, oui, oui... Non, non, non... Oui, oui, oui...

Puis, sans crier gare, il fit pivoter la tête de cent quatre-vingts degrés. Il y eut un craquement sec, et le jeune homme tomba comme un jouet cassé.

— Tout ça pour lui briser la nuque ? s'étonna l'un des deux autres types. C'est pour ça qu'on devait le ramener vivant ?

— Oh, vous inquiétez pas, rétorqua Remy en forçant un peu son accent. J'ai comme une intuition.

Ils le regardèrent d'un air dépité, comme s'il était un péquenot inculte. Remy y vit une reconnaissance de ses talents d'acteur.

— Hé, les gars, vous avez le temps de prendre un verre ? J'ai de la bonne gnôle.

— Il faut qu'on reparte, répondit le fantôme à la peau sombre. Merci pour la proposition. Une autre fois peut-être, Remy.

— C'est vous qui voyez. *No problemo.*

En réalité, il n'y avait pas une goutte d'alcool chez lui. À part l'eau minérale qu'il achetait par packs de douze, Remy ne buvait que le thé glacé qu'il faisait infuser au soleil. L'alcool était un poison pour l'organisme, et ces cons prétentieux pouvaient bien penser de lui ce qu'ils voulaient, Remy s'en fichait.

Ces deux-là, à leur façon de voir tout et rien à la fois, on repérait tout de suite qu'ils sortaient du moule d'une agence gouvernementale. S'ils avaient été plus attentifs, ils se seraient rendu compte qu'il les testait et qu'il allait leur donner du fil à retordre.

— Encore une chose, ajouta-t-il. Plus de ramassage. (Il toucha le cadavre du bout du pied.) Ça, c'était pas vraiment une réussite. Moi, je m'occupe de tout faire disparaître, à commencer par lui.

— Entendu. Il est à toi.

Et ils repartirent, sans même un geste d'au revoir. Remy les salua et attendit que le bruit du moteur s'estompe pour se mettre à l'ouvrage.

Le jeunot n'avait que la peau sur les os, ce qui allait faciliter la préparation. La découpe n'était pas plus compliquée que pour une fille. Deux entailles aux genoux, deux aux hanches, deux aux épaules, une au cou. Puis une longue incision du milieu du thorax, tout maigre, jusqu'en bas. Tout au couteau. C'était moins propre qu'à la tronçonneuse ou à la hache, mais Remy adorait se salir les mains, et ça ne datait pas d'hier.

Quand il eut fini, il ne lui fallut qu'une dizaine de minutes pour passer la viande à la moulinette et la mettre dans un sac en plastique. Des sacs qui lui paraissaient toujours incroyablement légers.

Il prit une pelle et une lampe torche dans la cabane, jeta le sac dans une brouette et s'enfonça dans les bois. La direction importait peu. Il pouvait balancer le gamin où il voulait puisque, de toute façon, il disparaîtrait à jamais.

« Plus personne n'aura de ses nouvelles », marmonna Remy.

Tout en marchant, il se mit à hocher et à secouer la tête, en riant.

« Non. Non. Non. Non. Plus jamais. Non. Non. Non. Non. »

21

Un fracas énorme me tira de mon sommeil au beau milieu de la nuit. Quelque chose s'était brisé en tombant, au rez-de-chaussée. J'en avais la quasi-certitude.

Il était à peine plus de 4 h 30.

— Tu as entendu ça ?

Bree décolla la tête de l'oreiller.

— Entendu quoi ? Je viens à peine de me réveiller. Si tant est que je le sois.

Je m'étais déjà levé pour enfiler un pantalon de survêtement.

— Alex, qu'y a-t-il ?

— Je ne sais pas encore, je vais aller voir. Je reviens tout de suite.

Au milieu de l'escalier, je m'arrêtai pour tendre l'oreille. Tout était calme. Dehors, le ciel bleuissait lentement, mais l'obscurité régnait encore dans la maison.

— Nana ? fis-je à mi-voix.

Pas de réponse.

Bree s'était levée à son tour. Elle apparut sur le palier, à quelques mètres.

— Je suis là.

Une fois dans le vestibule de l'entrée, j'aperçus une lueur dans la cuisine.

La porte du réfrigérateur était ouverte, juste assez pour éclairer le corps de Nana. Elle gisait au sol, inerte.

— Bree ! Appelle les secours !

22

Nana était couchée sur le côté, en pantoufles et peignoir, le vieux peignoir auquel elle tenait tant, entourée des débris d'un saladier, le visage crispé comme si elle avait eu terriblement mal au moment où elle s'était écroulée.

Je courus à la cuisine.

— Nana ! Tu m'entends ?

Je m'agenouillai pour prendre son pouls.

Il était faible, mais présent. Le mien, au contraire, s'était emballé.

Pitié, non. Pas maintenant. Pas comme ça.

— Alex, tiens !

Bree se précipita pour me tendre le téléphone.

— Neuf cent onze, j'écoute.

— Ma grand-mère vient de s'effondrer. Je l'ai trouvée par terre, inanimée. (Je scrutai son visage, ses bras, ses jambes.) Il n'y a pas de blessures apparentes, mais j'ignore ce qui s'est passé avant sa chute. Son pouls est très faible.

Bree entreprit de mesurer le pouls de Nana, l'œil sur la pendule de la cuisine, tandis que la régulatrice enregistrait mon nom et mon adresse.

— Monsieur, je vous envoie immédiatement une ambulance. Vous devez vous assurer qu'elle respire, mais surtout n'essayez pas de la bouger. En tombant, elle a pu se blesser à la moelle épinière.

— Je comprends. Je ne la déplacerai pas. Attendez, je vais regarder.

Le visage de Nana était tourné vers le sol. Je mis le dos de la main devant sa bouche. Au début, rien. Puis au bout d'une éternité, je sentis un infime souffle.

— Elle respire, mais à peine, indiquai-je à l'opératrice.

Un râle s'échappa de la poitrine de Nana.

— Je vous en prie, faites vite. Je crois qu'elle est en train de mourir !

23

À l'autre bout du fil, la standardiste m'expliqua comment procéder à une « subluxation de la mâchoire » pour dégager les voies respiratoires. J'avais l'impression de vivre le pire des cauchemars. Je saisis les angles de la mâchoire inférieure de Nana pour la soulever vers l'avant, tout en maintenant sa bouche entrouverte à l'aide du pouce.

Sa respiration reprit, très légèrement. Elle restait irrégulière.

Puis j'entendis la petite voix apeurée de Ali, derrière moi.

— Pourquoi Nana elle est par terre, comme ça ? Papa, il lui est arrivé quoi ?

Il s'accrochait à l'encadrement de la porte comme s'il redoutait qu'on ne le pousse à l'intérieur de la cuisine.

Je sentis la main de Bree se poser sur la mienne, contre la joue de Nana.

— Je m'occupe d'elle.

Je pus me relever pour aller parler à Ali.

— Nana est malade, elle est tombée, c'est tout. Une ambulance va venir la chercher pour l'emmener à l'hôpital.

— Elle va mourir ?

Les larmes voilaient son tendre regard.

Je ne répondis pas et me contentai de le tenir dans mes bras. Pas question de laisser partir Nana.

— On va rester ici en pensant à elle. D'accord ?

Il acquiesça lentement sans quitter Nana des yeux.

— Papa ?

Je me retournai. Jannie, les yeux écarquillés, paraissait encore plus bouleversée que son jeune frère. Je lui proposai de nous rejoindre, et nous attendîmes ensemble l'arrivée des secours.

Quand le miaulement d'une sirène se fit enfin entendre, cela ne me rassura pas, curieusement. Bien au contraire.

Dès leur arrivée, les ambulanciers prirent les signes vitaux de Nana avant de la mettre sous oxygène.

— Comment s'appelle-t-elle ? me demanda l'un d'eux.

— Regina.

Un prénom qui me resta presque en travers de la gorge. La reine. Notre reine à tous.

— Regina ? Vous m'entendez ?

Le secouriste enfonça une phalange dans son sternum. Nana ne bougea pas.

— Pas de réaction à la douleur. On va prendre son rythme cardiaque.

On me posa d'autres questions. Suivait-elle un traitement médical ? Son état avait-il changé depuis que nous avions appelé les secours ? Avait-elle déjà eu des problèmes cardiaques, y avait-il des antécédents dans la famille ?

Je ne lâchai pas Ali pour qu'il sache que j'étais là. Jannie, elle, s'était postée à ma gauche comme un fidèle lieutenant.

En quelques minutes, les deux urgentistes équipèrent Nana d'un cathéter, puis d'une minerve, avant de glisser un plan dur sous son dos. Jannie finit par se blottir contre moi en sanglotant.

Du coup, Ali se remit à pleurer. Bree, elle aussi, avait les larmes aux yeux.

— Nous sommes tous à ramasser à la petite cuiller, murmurai-je. C'est pour ça que Nana ne peut pas partir et nous laisser comme ça.

Les ambulanciers soulevèrent le frêle corps pour le déposer sur un brancard et nous les suivîmes jusqu'à l'extérieur. Dans un cadre aussi familier, la scène avait quelque chose d'à la fois tragique et angoissant.

Bree, qui avait disparu un instant, revint avec mon téléphone portable, une chemise et une paire de chaussures. Elle me reprit Ali, posa sa main sur l'épaule de Jannie. Leurs visages reflétaient tout ce que je ressentais.

— Reste avec Nana, Alex. Nous, on te suit en voiture.

24

Gabe Reese faisait les cent pas dans le hall d'entrée de l'aile ouest, les bras fermement croisés. Pour lui, ce flou, cette absence totale d'informations, ce foutu mystère était une première. Il avait à sa disposition des moyens considérables, mais il lui était difficile, voire impossible, d'en faire usage tant que le problème n'était pas clairement identifié.

Il attendait le vice-président. Il allait être question de Zeus, bien sûr, de ce qu'on avait découvert pour l'instant et de l'immense scandale qui risquait d'éclater. Tillman devait s'adresser aux membres de l'Association nationale des patrons de petites entreprises de 12 h 30 à 13 heures. Le centre des congrès ne se trouvait qu'à deux kilomètres et demi de là, soit environ cinq minutes de voiture. Reese n'aurait pas une seconde de trop.

À 12 h 20 précises, le vice-président arriva à grands pas, flanqué de Dan Cormorant et du directeur adjoint à la communication de la Maison-Blanche.

Deux assistantes chargées de gérer son emploi du temps et un autre agent du Secret Service suivaient quelques mètres derrière, attributs classiques du pouvoir et de l'arrogance.

Tillman parut surpris de voir Reese planté là, son éternel Borsalino à la main.

— Gabe, vous allez aussi à ce machin ?

— Oui, monsieur. Je ne peux pas louper ça. Pas question de manquer le moindre mot, le moindre mouvement de sourcil.

— D'accord, d'accord. Eh bien, allons-y.

Dehors, les moteurs fonctionnaient déjà. Une Cadillac longue, deux monospaces noirs, trois motos de la police. Lorsque le vice-président monta dans sa limousine, Reese posa la main sur l'épaule de Cormorant.

— Il faudrait que nous soyons seuls, Dan.

Le patron du Secret Service ne cacha pas sa contrariété. Il se tourna vers son second.

— Bender, prenez le véhicule du staff. Je vous couvre.
— Entendu.
— Vous savez que ça devra figurer dans mon rapport, déclara Cormorant dès que l'agent fut hors de portée.
— Non, ça n'y figurera pas, rétorqua Reese.

Ce genre de requête n'était pas une première, même de la part de Reese. Une fois celui-là et le vice-président installés à l'arrière de la Cadillac, Cormorant monta à son tour. Il donna le signal du départ par radio et le cortège démarra, direction la Quinzième Rue.

25

Compte tenu de l'agenda extrêmement chargé du vice-président, Reese n'avait pu trouver mieux que le cocon insonorisé de la limousine, avec son volet de séparation et ses vitres pare-balles teintées, pour assurer la confidentialité de l'entretien.

Il commença directement par ce qu'il avait découvert. Premièrement, le FBI et la police de Washington étaient tous deux sur l'affaire. Pour l'instant, ils enquêtaient simplement sur un ou plusieurs meurtres impliquant des prostitués hommes et femmes. Zeus n'avait pas encore été identifié. S'il existait un Zeus...

— Et je viens d'apprendre que nous avons un autre problème. (Reese se tourna vers le responsable du Secret Service, assis face à lui, sur le strapontin.) Dan, savez-vous qui est Alex Cross ?

— Un enquêteur de la police de Washington, spécialiste des grands dossiers criminels – homicides, tueurs en série. Il s'intéresserait à une certaine affaire de meurtre. Nous savons que Cross est sur le coup. Nous le surveillons.

— Et je ne l'apprends que maintenant ? Pourquoi n'ai-je pas été informé ?

Cormorant leva le pouce et l'index pour rappeler les consignes du vice-président.

— Pas de coups de fil, pas de mails, vous vous souvenez ? Je vous communiquerai des infos quand je serai en mesure de le faire, Gabe. Pour le moment, il n'est question que d'un seul enquêteur de la criminelle.

— Un instant, coupa le vice-président. Où en sommes-nous à propos de Zeus, Dan ?

— Vite, s'il vous plaît, ajouta Reese.

Ils n'étaient déjà plus très loin de K Street, malheureusement moins encombrée que d'habitude.

— C'est compliqué. Il y a beaucoup de pistes à suivre. On a mis un club privé, en Virginie, sur écoute. C'est une boîte échangiste, monsieur. Il est possible que Zeus s'y soit rendu. C'est même probable. Il est souvent fait mention de la Maison-Blanche, et plus particulièrement du cabinet de ses conseillers, mais c'est peut-être uniquement à cause du nom de code « Zeus ». J'espère que ce n'est que cela.

Le visage de Tillman s'assombrit.

— Et c'est tout ? Vous n'avez rien d'autre ?

— Il s'agit d'une enquête criminelle, qui ne va pas se résoudre toute seule, comme par miracle. La boîte s'appelle Blacksmith Farms. Nous avons les noms de plusieurs clients. Les patrons sont des mafieux.

— Comment se fait-il que nous n'arrivions pas, nous, à découvrir qui est ce Zeus ? explosa Tillman.

— Je suis navré, monsieur le vice-président, mais à trop fouiller, on va se faire remarquer. Je ne suis même pas certain que Zeus ait fréquenté la boîte en question. Il y a des rumeurs qui circulent, mais rien de concret.

Reese n'aimait pas le ton employé par Cormorant, que ce fût à son égard ou à celui du vice-président.

— Des rumeurs, reprit-il. Qui d'autre est au courant ?

— Deux agents principaux du centre de coordination des opérations, un officier du renseignement, mais tout est verrouillé. Personne ne peut faire le lien avec la vice-présidence. (Cormorant infligea à Reese un autre de ses regards condescendants.) Il faut que vous vous calmiez, ça ne sert à rien. On va aussi vite qu'on peut et il y a tellement de pistes à explorer. Les circonstances, c'est le moins qu'on puisse dire, sont loin d'être idéales.

Un *allez vous faire foutre* traversa brièvement l'esprit de Reese, mais le chef de cabinet était trop intelligent pour se laisser aller à perdre son sang-froid devant Tillman. Quoi qu'il en fût, il y avait dans cette affaire tous les ingrédients d'un scandale comme Washington n'en avait pas connu depuis des années. Un tueur en série travaillant pour la Maison-Blanche, ou proche d'un de ses conseillers ?

— Monsieur, je vous recommande de faire classer « information sensible compartimentée » tous les rapports des agents qui vous sont affectés, et ce jusqu'à nouvel ordre.

— Si vous le faites, contra Cormorant, ça va laisser une trace.

— Peut-être, rétorqua Reese, mais en même temps, ces infos deviendront inaccessibles.

Dans ce cas précis, Tillman avait le pouvoir de court-circuiter non seulement le bureau de la sécurité de la Maison-Blanche, mais aussi la loi sur la liberté de l'information.

— Entendu, opina Tillman.

La question était réglée. Puis il ajouta :

— Et cet enquêteur, Cross, il ne va pas nous créer des soucis ?

Cormorant réfléchit.

— Difficile à dire tant qu'il n'aura pas découvert quelque chose. S'il découvre quoi que ce soit. Je ne le perds pas de vue. S'il y a du nouveau, je vous tiens au courant...

— Non, pas moi, décréta Tillman. Passez par Gabe. À compter d'aujourd'hui, tout passe par Gabe.

— Bien sûr.

Reese se rendit compte qu'il n'arrêtait pas de se passer la main dans les cheveux, machinalement. Ils arrivaient au centre des congrès. Il fallait conclure, et vite.

— Y a-t-il autre chose que je devrais savoir ? Des éléments que vous auriez négligé de communiquer ? L'identité de Zeus, par exemple ?

Cormorant rougit, mais se contenta de lâcher :

— Nous y voilà, monsieur le vice-président.

26

Nana était en vie. Il n'y avait que cela qui comptait et le reste, pour l'instant, m'importait peu. Mais je ne pouvais m'empêcher de me demander pourquoi c'est le jour où nous les perdons ou sommes sur le point de les perdre que les êtres qui nous sont chers deviennent plus indispensables que jamais.

L'attente à l'hôpital, pendant les examens, fut un véritable calvaire. Des heures à gamberger dans la lumière crue des néons d'un couloir aseptisé, à recenser les pires scénarios, en bon flic que j'étais. Pour lutter contre mes idées noires, j'essayais de me remplir la tête d'images de Nana en remontant jusqu'à l'année de mes dix ans, lorsqu'elle avait remplacé mes parents.

Quand elle ressortit sur un brancard, le simple fait de la regarder dans les yeux fut une bénédiction. Elle était inconsciente au moment de notre arrivée à l'hôpital, et rien ne disait que nous la reverrions en vie.

Mais maintenant, elle était là, et en plus, elle parlait.

— Je t'ai fait un peu peur, hein ?

Sa voix était frêle, sifflante, et, lorsqu'elle s'assit, elle me parut encore plus menue qu'avant, mais elle n'avait rien perdu de sa vivacité.

— Pas qu'un peu...

Je m'abstins d'en rajouter ; il fallait que je la ménage. Un long baiser sur la joue suffirait.

— Content de te revoir, ma vieille, lui chuchotai-je à l'oreille pour la faire sourire.

Objectif atteint.

— Je suis ravie d'être de retour. Bon, maintenant, filons d'ici !

27

Une fois Nana installée – dans un lit d'hôpital –, le cardiologue de garde vint nous voir. C'était le Dr Englefield, une femme d'une cinquantaine d'années, au visage compatissant, mais avec ce détachement professionnel que j'ai déjà observé chez de nombreux spécialistes.

Elle s'adressa à Nana tout en étudiant son dossier médical.

— Madame Cross, nous avons diagnostiqué une insuffisance cardiaque globale. Autrement dit, votre cœur ne pompe plus suffisamment de sang, et votre organisme ne reçoit pas la quantité nécessaire d'oxygène et de nutriments, ce qui explique sans doute que vous ayez perdu connaissance ce matin.

Nana hocha la tête sans manifester la moindre émotion. Première question :

— Quand vais-je pouvoir quitter l'hôpital ?

— Habituellement, dans ce genre de cas, on vous garde quatre ou cinq jours. Je voudrais ajuster votre traitement contre l'hypertension et nous ferons le point dans quelques jours.

— Il va falloir que je revienne, docteur ?

Le Dr Englefield rit poliment, comme si Nana plaisantait. Et dès qu'elle eut disparu, Nana me regarda.

— Il faut que tu me trouves quelqu'un d'autre, Alex. Je suis prête à rentrer.

— Ah bon ? fis-je mine de m'étonner.

— Oui, c'est comme ça. (D'un geste, elle voulut me chasser de la chambre.) Vas-y. Débrouille-toi.

Je commençais à me sentir mal à l'aise. Moi qui n'avais encore jamais donné d'ordre à Nana...

— Je crois qu'il faut faire confiance au médecin. Si quelques nuits à l'hôpital peuvent nous épargner ce qu'on a vécu ce matin, je suis pour.

— Tu ne m'écoutes pas, Alex. (Sa voix avait brusquement changé. Elle m'attrapa le poignet.) Je ne vais pas passer une journée de plus dans ce lit d'hôpital, tu m'entends ? Je refuse, et c'est mon droit.

— Nana...

— Non ! (Elle me lâcha et pointa sur moi un doigt tremblant.) Et tu ne me parles pas sur ce ton. Tu es de mon côté, oui ou non ? Sinon, je me lève et j'y vais moi-même. Je parle sérieusement, Alex.

Je vivais un moment difficile, face à ce doigt menaçant. Nana ne voulait rien savoir et m'implorait d'exaucer ses volontés.

Je m'assis au bord du lit, me penchai vers elle et, les yeux fermés, lui murmurai à l'oreille :

— Nana, je veux que tu fasses ce qu'il faut pour te remettre. Lève un peu le pied, laisse les choses se faire. C'est impératif. Fais preuve d'intelligence.

Ce qu'elle me répétait depuis que j'avais dix ans. Fais preuve d'intelligence.

Dans le silence de la pièce, j'entendis sa tête retomber sur l'oreiller. Quand je rouvris les yeux, ses joues étaient striées de larmes.

— Alors c'est ici que je vais mourir, c'est ça ?

Je tirai une chaise pour m'installer près du lit. Une chaise sur laquelle je finirais par m'endormir, un peu plus tard.

— Personne ne mourra ici cette nuit.

DEUXIÈME PARTIE

LE FEU PAR LE FEU

28

Parti de chez lui angoissé, à bout de nerfs, Tony Nicholson était de surcroît en retard, par la faute d'un semi-remorque qui avait eu la mauvaise idée de se renverser sur l'autoroute. Il arriva à Blacksmith Farms peu après 21 h 30, alors que ses clients de marque étaient attendus dans moins d'une demi-heure. Et parmi eux figurait un hôte très particulier.

Il abaissa sa vitre, sonna à l'Interphone.

— Oui ?

Une voix de femme. Cultivée. Très *british*. Son assistante, Mary Claire.

— C'est moi, M.C.

— Bonsoir, monsieur Nicholson. Vous êtes légèrement en retard.

Sans blague ? Quelle perspicacité !

Le portail s'ouvrit et se referma dès que la Porsche Cayman S se fut engagée sur la petite route.

Il fallait parcourir plus d'un kilomètre et demi au milieu d'une immense prairie, puis traverser un petit bois de chênes et de noyers avant d'arriver en vue de la maison principale. Nicholson gara son coupé dans l'ancienne remise à chariots et entra par la porte-fenêtre du patio.

— Je suis là, je suis là. Désolé.

L'hôtesse de la soirée, Esther, une beauté de Trinité, était en train de disposer sur une table Chippendale du vestibule les présentoirs en cuir qui aideraient les invités à faire leur choix.

— Y a-t-il un problème à régler ? demanda-t-il. Un quelconque imprévu qui nécessiterait mon intervention, ce soir ?

— Rien, monsieur Nicholson. Tout se déroule parfaitement. (Nicholson adorait l'exquise sérénité de Esther, qui l'apaisait déjà.) Le Bollinger est dans la glace, nous avons garni les humidors de coronas de Flor de Farach, les filles sont toutes superbes et bien briefées, et vous avez... (Elle sortit une montre de sa poche. Il n'y avait pas de pendule dans la maison.) au moins vingt minutes avant l'arrivée des premiers clients. Ils ont appelé. Ils seront à l'heure. Ils ont l'air extrêmement... enthousiastes.

— D'accord. Excellent travail. Vous savez où me trouver si vous avez besoin de moi.

Nicholson fit un petit tour au rez-de-chaussée avant de monter. Avec leurs lambris d'acajou, leurs bars aux cuivres rutilants, leurs antiquités hors de prix, le vestibule et les salons évoquaient avant tout un club de gentlemen anglais, le genre d'endroit que son père n'aurait pu fréquenter qu'en rêve, compte tenu de l'indécent système des classes sociales en Grande-Bretagne. Nicholson était né à Brighton, dans une famille ouvrière, mais il avait depuis longtemps tiré un trait sur cette époque sinistre. Ici, il était roi. Ou tout au moins prince de la Couronne.

Il prit le grand escalier. À l'étage, plusieurs filles, déjà en tenue, attendaient la première vague de clients, « les Couillons de la première heure », comme elles les surnommaient.

D'une beauté saisissante, à la fois élégantes et sensuelles, elles bavardaient sur les banquettes de la mezzanine, jonchée de coussins et de multiples étoffes soyeuses grâce auxquelles ceux qui le désiraient pouvaient s'assurer un semblant d'intimité.

— Bonsoir, mesdames, dit-il en promenant sur le groupe un regard d'expert. Oui, oui, très sympa. Vous êtes magnifiques. Parfaites, toutes autant que vous êtes, à tous points de vue.

— Merci, Tony, répondit une voix, un peu plus forte que les autres.

C'était Katherine, bien sûr, dont les yeux bleu-gris s'attardaient toujours sur ses traits nordiques. Elle aurait adoré faire un bout d'essai avec le patron, mais il savait que c'était pour les mauvaises raisons. Telles que prendre la place de sa femme.

Nicholson se pencha pour lui murmurer à l'oreille, tout en caressant l'ourlet de sa minirobe de dentelle blanche :

— Cela dit, je pense que tu devrais changer de tenue, Kat. Nous ne voudrions pas que les putes aient l'air de putes, n'est-ce pas ?

La somptueuse jeune femme réussit, non sans peine, à conserver son sourire éclatant, comme si Nicholson venait de lui glisser un compliment charmant. Elle se leva et quitta les lieux en chuchotant simplement :

— Il faut que j'aille me rafraîchir.

Ayant constaté, avec satisfaction, que tout était parfaitement en place, Nicholson monta au deuxième étage, où se trouvait son bureau, fermé à clé.

C'était le seul endroit de la maison interdit aussi bien aux clients qu'au personnel.

Une fois à l'intérieur, il s'octroya un verre de champagne, un Bollinger à sept cents dollars la bouteille prélevé dans la réserve des clients, et s'assit. Il pouvait enfin s'accorder un moment de détente, au terme d'une journée particulièrement éprouvante.

Enfin, « détente » était un bien grand mot, mais il y avait toujours le Bollinger...

Nicholson s'installa à son bureau, devant deux grands écrans plats. Il mit l'installation en marche et tapa un long mot de passe.

Sur l'un des deux écrans, des dizaines d'images format vignette s'ouvrirent en cascade.

Au premier coup d'œil, on aurait dit des plans fixes de différents endroits de la maison – le vestibule, la mezzanine, les suites des clients, les salons de massage, le donjon, les salles de visionnage. En tout, il y en avait trente-six.

Nicholson prit le temps d'observer la sournoise Katherine dans l'une des loges. Elle ne portait qu'un string. Les seins ballottant, elle maugréait devant son miroir parce que son mascara coulait. Katherine avait beau être magnifique, elle n'en restait pas moins une erreur de casting – trop ambitieuse, trop maligne –, mais il avait d'autres priorités pour l'instant.

Il cliqua sur une image de l'allée, devant la maison, et la fit glisser sur le second écran pour l'agrandir. Un *time code* commença à égrener les secondes en bas de l'image.

Un autre clic sur un petit triangle rouge en marge de l'image. Enregistrement.

Les premières voitures arrivaient. La soirée allait commencer.

« Bienvenue au baisodrome, marmonna-t-il. Vos petites queues vont voir tous leurs désirs s'exaucer. »

29

À 23 h 30, la soirée battait son plein. Chacune des suites de la luxueuse demeure était occupée ; les salons de massage, le donjon et même la mezzanine vibraient d'une activité sexuelle intense. Homme et femme ; femme et femme ; homme et homme ; femme, homme et femme ; toutes les combinaisons étaient possibles, au gré de la clientèle.

La totalité des lieux avait été louée pour un enterrement de vie de garçon : cinq jolis garçons et trente-quatre filles superbes pour vingt et un invités extrêmement excités, moyennant un forfait de cent cinquante mille dollars, qui avaient déjà été virés sur le compte numéroté du club.

Nicholson connaissait bien l'hôte de la soirée. Le futur témoin du mariage n'était autre que Temple

Suiter, associé de l'un des cabinets d'avocats les plus prestigieux et les plus influents de la capitale, qui comptait parmi ses clients le Family Research Council, puissante organisation chrétienne ; la famille royale saoudienne ; ainsi que certains membres du précédent gouvernement.

Nicholson avait fait sa petite enquête, comme d'habitude.

Benjamin Painter, le futur marié, s'apprêtait à rejoindre une des grandes dynasties familiales de Washington. Dans une semaine, il aurait pour beau-père le sénateur senior de Virginie et pour belle-mère une accro de la chirurgie esthétique, l'une des plus populaires de sa catégorie. On disait également qu'il comptait lui-même se présenter aux prochaines élections sénatoriales. Tout cela faisait de M. Painter un homme de grande valeur, aux yeux de Nicholson.

En ce moment précis, le futur époux et sénateur était vautré dans un fauteuil club de la suite A. Sasha et Liz, deux des filles les plus jeunes, les plus jolies et les moins dangereuses, se déshabillaient mutuellement sur le lit tandis qu'une nouvelle, Ana, caressait Painter à travers son caleçon de yuppie. On aurait donné une quinzaine d'années à chacune de ces trois jeunes filles, mais elles étaient majeures. Tout juste majeures. Elles avaient dix-neuf ans.

Nicholson passa un doigt sur le pavé tactile pour régler l'image. Les caméras sans-fil, guère plus grosses qu'une gomme de crayon, étaient équipées d'un zoom pivotant. Dans la suite A, le système optique avait été dissimulé à l'intérieur du détecteur de fumée.

Le micro – filaire, lui – avait été installé dans le lustre surplombant l'immense lit sur lequel Sasha était en train de se relever, tout sourire, en gazouillant de plaisir.

Elle s'assit à califourchon sur Liz. Toutes deux ne portaient plus que leurs bijoux. Leurs robes de cocktail moulantes ne formaient plus que deux petits tas noirs sur la moquette.

Sasha ouvrit le tiroir de la table de chevet et en sortit un gros godemiché couleur chair.

Elle l'agita sous le regard de Benjamin Painter, dont les yeux s'écarquillèrent, naturellement, et lui demanda avec un air espiègle :

— Tu aimerais que je le mette à Liz ? J'aimerais bien lui mettre. J'adorerais.

— Excellent, répondit Ben comme s'il félicitait un employé de la société de son père. Prépare-la pour moi, Sasha. Et toi... (Il posa la main sur la tête de Ana, en train de s'agenouiller devant lui.) Prends ton temps, Ana. Qui veut aller loin ménage sa monture, n'est-ce pas ?

— Oh, absolument, Benjamin. Cela me plaît beaucoup, à moi aussi.

Et tandis que M. Painter faisait de son mieux pour fournir à Nicholson un document vidéo des plus précieux, son ami, M. Suiter – qu'il connaissait depuis la fac de droit, à New York – était quasiment en train de signer un chèque en blanc.

Suiter se trouvait au spa avec Maya et Justine, deux des plus belles Eurasiennes. Allongée sur le carrelage à côté de la grande baignoire ronde, Maya agitait ses jolies petites jambes pendant que Suiter la ramonait furieusement. Elle faisait mine d'y prendre beaucoup de plaisir, ce qui était peu probable, car elle vivait en couple avec Justine. Les deux filles s'étaient d'ailleurs mariées, chez elles, dans le Massachusetts.

Justine, à cet instant précis, se livra à un exercice qui allait rapporter gros. Elle enjamba Suiter, ploya légèrement les genoux, s'accrocha à la barre du plafond et se soulagea sur les épaules et le dos du client.

Suiter haletait au rythme de ses mouvements, en criant de plus en plus fort à mesure qu'il se rapprochait de l'orgasme.

— Oh, oui... Oh, oui... C'est ça, ma jolie, c'est ça, continue !

Nicholson coupa le son avec une moue de dégoût. Rien ne l'obligeait à écouter les conneries de cet imbécile maintenant. Dans le courant de la semaine, il enverrait à M. Suiter un très joli clip de trente secondes. Rien de tel qu'un gros plan face caméra et des mots choisis...

Car si ces messieurs étaient prêts à payer cher pour se faire fesser un samedi soir ou juste baiser une jeune femme qui n'allait pas leur demander des comptes, Tony Nicholson savait qu'ils étaient toujours – *toujours* – disposés à payer encore plus cher le privilège de garder pour eux leurs vilains petits secrets.

Tous, sauf Zeus.

30

— Alors ?

— Une Mercedes McLaren bleu foncé, immatriculée DLY 224, au nom d'un certain Temple Suiter.

— L'avocat ?

— Vraisemblablement. Qui voudrais-tu que ce soit, sinon ? Ce type a une fortune.

Carl Villanovich posa sa caméra et se frotta vigoureusement les yeux. Trois nuits de planque dans les bois de Blacksmith Farms. Il n'en pouvait plus.

Il déplia un trépied, sur lequel il monta la caméra afin de pouvoir souffler un peu. Zoom arrière. Un plan large du bâtiment apparut sur l'écran de l'ordinateur portable posé à côté de lui.

La maison était immense. Tout en grès, visiblement, avec des colonnes hautes de deux étages en façade, elle avait dû appartenir à un planteur. Il y avait une ancienne grange, derrière, et plusieurs dépendances. Tout était éteint.

— En voici un autre.

Tommy Skuba, l'équipier de Villanovich, prit une rafale de photos avec son reflex numérique quand le coupé Jaguar lie-de-vin déboucha du bois à vive allure. Lorsque la voiture glissa dans l'allée en arc de cercle, devant la villa, Villanovich zooma sur la plaque d'immatriculation.

— Vous l'avez ? demanda-t-il.

— C'est bon, on l'a, répondit la voix dans son casque.

À plus de cent vingt kilomètres de là, à Washington, le PC suivait tout en temps réel.

Il n'y avait pas de voiturier. Le nouvel arrivant se gara et sonna. Presque aussitôt, une grande Noire, sublime dans sa robe à paillettes, lui ouvrit la porte.

— Skuba, couvre les fenêtres.

— Je sais, je sais. Je fais de mon mieux pour que Steven Spielberg soit fier de moi. Le type à la Jag doit être un habitué.

Villanovich se frotta le visage des deux mains pour lutter contre la fatigue.

— On ne pourrait pas lever le camp plus tôt, ce soir ? Du matos, on en a déjà plus qu'assez, non ?

Réponse immédiate du PC :

— Négatif. Vous surveilliez les départs.

Une nouvelle salve de photos attira l'attention de Villanovich. Le conducteur de la Jaguar venait de passer devant une fenêtre, dans l'escalier, une fille au bras. Grande et noire, elle aussi, mais ce n'était pas celle qui l'avait accueilli.

— La vache ! (Skuba abaissa son reflex et coupa le micro de son casque.) Tu as vu ce châssis ? J'avoue que je suis un peu jaloux, là. Et qu'elle m'a un peu excité, celle-là.

— Il n'y a vraiment pas de quoi, rétorqua Villanovich, le regard braqué sur la fenêtre. C'est Quantico qui gère l'affaire, maintenant. Quand ils fermeront la baraque, tout le monde tombera.

31

Avant d'autoriser Nana à rentrer chez elle, le Dr Englefield demanda à me voir. Dans son bureau, au rez-de-chaussée de l'hôpital, elle me parut beaucoup plus détendue, plus sympathique, plus humaine.

— Nous avons évacué les fluides qui s'étaient accumulés dans les poumons de votre grand-mère et rabaissé sa tension à un niveau normal, mais ce n'est qu'un début. Elle – et vous – allez devoir être vigilants. Regina refuse de l'admettre, mais elle a plus de quatre-vingt-dix ans. C'est un problème grave.

— Je comprends. Et ma grand-mère aussi, quoi que vous puissiez imaginer.

Nana s'était vue imposer tout un traitement – inhibiteurs enzymatiques, diurétiques et un cocktail d'hydralazine et de dinitrate d'isosorbide qui, pour des raisons mystérieuses, s'avérait particulièrement efficace chez les patients noirs américains. Elle devrait également s'astreindre à un régime sans sel, et se peser quotidiennement pour s'assurer qu'elle ne faisait pas de rétention de fluides.

— Cela fait beaucoup de nouvelles habitudes à prendre en même temps. (Le Dr Englefield s'autorisa un demi-sourire.) Le non-respect de cette discipline est la principale cause d'arrêts cardiaques chez les malades de ce type. Le soutien de la famille est essentiel. Vital.

— Croyez-moi, nous ferons tout ce qu'il faut.

Jannie elle-même s'était mise à écumer le Net pour se renseigner sur l'insuffisance cardiaque congestive.

— Je vous conseille de faire venir une aide à domicile chaque fois que vous et votre femme devrez vous absenter. (Le Dr Englefield n'avait fait que croiser Bree ; je ne pris pas la peine de la corriger.) Évidemment, convaincre votre grand-mère ne sera sans doute pas chose facile...

Je souris, pour la première fois.

— Ah, je vois que vous avez appris à la connaître. Oui, nous allons étudier la question.

— Regina a eu la chance d'avoir quelqu'un à ses côtés lors de son malaise, l'autre jour. Vous devriez faire en sorte que ce soit toujours le cas pour qu'elle reçoive de l'aide si cela se reproduit – ou quand cela se reproduira.

Je comprenais mieux, maintenant, pourquoi Nana avait surnommé la cardiologue « Docteur La Joie ». Si celle-ci essayait de me faire peur, en tout cas, elle y parvenait.

32

Nous montâmes voir Nana ensemble. Mieux valait être plusieurs, non ?

— Madame Cross, vous allez beaucoup mieux. Je

vous conseille de rester encore une nuit ici, et ensuite nous vous libérerons.

— J'aime bien ce mot, « conseille ». Merci pour votre conseil, docteur. Je vous en sais gré. Maintenant, si vous voulez bien nous excuser, mon petit-fils va me ramener chez moi. J'ai des choses à faire aujourd'hui, des gâteaux à préparer, des mots de remerciements à écrire, et que sais-je encore...

Le Dr Englefield rendit les armes. Je fis de même. Trois quarts d'heure plus tard, Nana et moi étions sur le chemin du retour.

Dans la voiture, elle me fit penser au labrador chocolat que nous avions quand j'étais petit, en Caroline du Nord, juste avant la mort de mes parents. Elle avait baissé sa vitre et le vent lui fouettait le visage. Je m'attendais presque à ce qu'elle s'écrie, façon Martin Luther King, « enfin libre ! »

Ou qu'elle me sorte une des savoureuses répliques de Morgan Freeman dans *Sans plus attendre*.

Elle me regarda en tapotant des deux mains le cuir de son siège.

— C'est drôlement confortable ! Je dormirais mieux ici que dans mon lit d'hôpital, je peux te le dire.

— Tu ne nous en voudras pas, alors, si on récupère ta chambre pour en faire un bureau ?

Elle gloussa et commença à incliner le dossier de son siège.

— Tu vas voir.

Elle l'inclina trop. À un moment, son rire vira à la quinte de toux. Les poumons encore fragiles, elle se plia en deux avec un bruit atroce, un raclement qui me fit frémir.

Je me garai sur le côté et maintins le dos de Nana jusqu'à ce que je puisse redresser son dossier.

Elle me fit signe de la laisser. Elle toussait toujours, mais moins violemment. Mon propre cœur était mis à rude épreuve. Cette convalescence promettait d'être une expérience des plus intéressantes.

Cette crise me donna néanmoins l'occasion de faire la transition avec un sujet délicat, dès que j'eus redémarré.

— Écoute. Avec Bree, on s'est dit que ce serait bien de faire venir quelqu'un à domicile...

Nana émit une espèce de grognement.

— Juste pour les moments où nous sommes au boulot. À mi-temps, peut-être.

— Je n'ai pas besoin de quelqu'un que je ne connais pas, qui va passer son temps à me demander si tout va bien, à regonfler mes oreillers et à traîner dans mes pattes. C'est gênant. Et ça coûte cher. Ce qu'il nous faut, Alex, c'est une nouvelle toiture, pas une aide-soignante.

— Je vois très bien ce que tu veux dire, rétorquai-je, guère surpris par sa réponse. Mais je vais me sentir mal à l'aise chaque fois que je sortirai. Nous avons suffisamment d'argent.

— Ah, d'accord, siffla-t-elle en croisant les doigts sur ses genoux. Ce qui compte, c'est ce que toi, tu veux. Je comprends parfaitement, maintenant.

— Bon, on ne va pas se disputer. Tu rentres à la maison.

Je la surpris en train de rouler les yeux. En fait, elle me tannait uniquement pour le plaisir. Ce qui ne signifiait nullement qu'elle me donnait son accord pour la fameuse « aide-soignante ».

— Ah, au moins, la patiente est de bonne humeur.
— Oui, effectivement. (Nous arrivions dans la Cinquième Rue. Nana se redressa.) Et personne, pas même le grand Alex Cross, ne va m'énerver par une si belle journée.

Et quelques secondes plus tard, elle ajouta :

— Pas d'aide-soignante !

33

Une banderole improvisée flottait au-dessus de la porte. Elle affichait « Bienvenue à la maison, Nana ! », aux couleurs de l'arc-en-ciel.

Les enfants se précipitèrent vers nous. J'eus juste le temps d'intercepter Ali et de le soulever avant qu'il ne percute Nana dans l'allée.

— Doucement !

Ma mise en garde s'adressait à Jannie, qui freinait déjà son élan.

— Tu nous as tellement manqué ! cria-t-elle. Oh ! Nana ! ce qu'on est contents de te voir !

— Tu peux me serrer contre toi normalement, Janelle, je ne vais pas me briser en mille morceaux.

Et Nana de s'illuminer.

Elle me prit le bras, puis saisit celui de Jannie tandis que derrière nous, Ali, qui avait insisté pour porter sa valise, la cognait contre toutes les marches du perron.

Dans la cuisine, Bree était au téléphone. Elle fit un grand sourire à Nana en levant l'index pour indiquer qu'elle en avait pour une seconde.

— Oui, monsieur. Oui, promis. Merci beaucoup !

— Qui était-ce ?

Mais elle courait déjà embrasser Nana.

— Doucement ! cria Ali.

Nana éclata de rire.

— Je ne suis pas en sucre. Je suis coriace !

Quand elle nous eut bien fait entendre qu'elle irait se coucher en même temps que « les gens normaux » – merci pour le compliment –, tout le monde s'installa autour de la table de la cuisine.

Et là, Bree s'éclaircit la gorge comme si elle avait une déclaration à faire. Elle nous considèra.

— Voilà, j'ai bien réfléchi, et je me suis dit qu'engager quelqu'un pour rester auprès de Nana n'était peut-être pas une si bonne idée. Est-ce que je me trompe ?

— Hum..., fit Nana en me jettant un regard qui voulait dire : Tu vois ? Il y a des gens qui me comprennent.

— Alors... je vais lever le pied, professionnellement parlant, et rester un peu ici, avec toi, Nana. Enfin, si tu veux bien de moi.

Nana rayonnait.

— C'est tellement adorable de ta part, Bree. Et si joliment dit. Enfin un programme d'accompagnement médical qui me convient !

Moi, j'étais abasourdi.

— Lever le pied ?

— Oui. Je resterai disponible pour tout ce dont tu auras besoin dans l'enquête sur la mort de Caroline, mais je déléguerai tout le reste. Oh, au fait, tiens, Nana. (Elle se leva pour attraper des feuilles sur le comptoir.) Je t'ai imprimé des recettes trouvées sur le Net. Tu verras bien s'il y en a qui te plaisent. Veux-tu du thé ?

Tandis que Nana se plongeait dans la lecture, je suivis Bree jusqu'à la cuisinière. D'un regard, je compris qu'il ne fallait pas que je lui demande si elle était sûre d'avoir pris la bonne décision. Bree avait toujours fait ce qu'elle voulait, ce qui était loin de me déplaire.

— Merci, lui dis-je à mi-voix. Tu es la meilleure.

Elle sourit. Un sourire qui voulait dire que les remerciements n'étaient pas de circonstance, mais qu'elle était effectivement la meilleure.

— Je tiens énormément à elle, chuchota-t-elle.

— Des aubergines ? s'exclama Nana, une feuille à la main. On ne peut pas décemment cuisiner des aubergines sans sel. C'est carrément impossible.

— Cherche encore. (Bree vint s'asseoir à ses côtés.) Il y a une tonne d'autres recettes. Que penses-tu des croquettes au crabe ?

— Les croquettes au crabe, ça pourrait aller.

En les observant à distance, toutes les deux, je voyais des générations se rejoindre. Lorsqu'elles riaient, Bree se penchait contre l'épaule de Nana, et Nana gardait toujours une main posée sur Bree, comme si elles étaient amies depuis toujours. J'espérais qu'il en serait ainsi encore longtemps.

— Un gâteau des anges avec un glaçage au chocolat ? suggéra Nana avec un sourire malicieux. Est-ce que ça figure sur ta liste des aliments autorisés, Bree ? Ça devrait.

34

Le lendemain, quand mon copain Ned Mahoney, du FBI, m'appela, j'étais loin de me douter que cela avait un rapport avec l'enquête sur la mort de Caroline. Il me demanda simplement de le rejoindre sur l'aire de restauration rapide du centre commercial Tysons Corner, sur McLean Avenue. Venant de toute autre personne, j'aurais jugé cette requête étrange, mais je connaissais Ned et lui faisais confiance. Je compris qu'il se passait quelque chose.

Ned était un type important. Ancien patron du HRT – unité antiterroriste spécialisée dans le secours aux otages, au centre d'entraînement du FBI, à Quantico –, il était encore monté en grade. Il avait désormais sous ses ordres tous les agents de terrain de la côte est. Nous avions travaillé ensemble quand j'étais moi-même agent du FBI, puis, plus récemment, à l'occasion d'une très curieuse confrontation avec des ripous du SWAT et des dealers, à Washington.

Je m'assis en face de lui. Table en plastique orange, chaises en plastique blanc. Il était en train de vider un gobelet de café.

— Je suis très pris en ce moment, lui dis-je en riant. Qu'est-ce que tu veux ?

— Allons faire un tour. (Il se leva, je fis de même.) Moi aussi, je suis très pris. Tu as le bonjour de Monnie Donnelley, au fait.

— Salue-la de ma part. Bon, Ned, que voulais-tu me dire ? Pourquoi ce rendez-vous digne des espions de John Le Carré ?

Nous marchions vite. Ned alla droit au but.

— Je sais des choses intéressantes au sujet de Caroline. En toute franchise, Alex, je ne t'aurais pas appelé s'il ne s'était pas agi de ta nièce. Cette histoire est en train de devenir de plus en plus trouble et dangereuse.

Je pilai net en face d'une vitrine de librairie où trônait une gigantesque pile de livres de David Sedaris.

— Quelle histoire ? Explique-toi, s'il te plaît, Ned.

Ned Mahoney est l'un des flics les plus intelligents que j'aie jamais connus, mais l'information circule parfois trop vite entre ses neurones.

Il se remit en marche, sans cesser de regarder dans toutes les directions. Il commençait à me rendre nerveux.

— On a fait surveiller un établissement, en Virginie. Un club privé. Clientèle de VIP, du lourd. Je te parle de gens qui peuvent nous court-circuiter, Alex, et de différentes manières.

— Continue. Je t'écoute.

Il regarda le sol.

— Tu sais que ta nièce était, euh...

— Ouais. J'ai eu connaissance de tous les détails de l'enquête. J'ai vu le corps chez le médecin légiste.

Il jeta son fond de café dans une poubelle.

— Il est possible, pour ne pas dire probable, que Caroline ait été tuée par quelqu'un de ce club.

— Un instant.

Nous nous arrêtâmes, le temps de laisser passer une maman blonde avec ses trois blondinets et une multitude de sacs Baby Gap.

— Pourquoi le FBI est-il sur le coup ?

— Officiellement ? Parce qu'un corps a été transporté d'un État à un autre.

Je pensai au mafieux qu'on avait identifié, puis perdu : Johnny Tucci.

— Tu parles du petit malfrat de Philadelphie ?

— Lui, il ne nous intéresse pas. Il y a d'ailleurs des risques qu'il soit mort, à l'heure qu'il est. Alex, ce club est fréquenté par des personnes très haut placées à Washington. C'est devenu chaud au Bureau, ces deux derniers jours. Très, très chaud.

— J'imagine que Burns suit l'affaire ?

Ron Burns, le directeur du FBI, était un type plutôt bien. Mahoney secoua la tête. Il refusait de confirmer, mais son silence était éloquent.

— Ned, quoi qu'il arrive, je ne peux que vous aider.

— Ça, je le sais déjà, mais écoute-moi bien, Alex : dans cette enquête, pars du principe que tu es surveillé. La situation va s'envenimer à un point que tu ne soupçonnes pas.

— Tant mieux. Ça prouve juste que quelqu'un prend l'affaire au sérieux. Moi, je suis prêt à m'exposer à tout ça.

— Tu l'as déjà fait, me dit-il en me tapant sur l'épaule, avec un sourire désabusé. Mais tu ne le savais pas...

35

Mon entretien avec Ned s'était peut-être révélé intéressant, mais il m'avait également donné la migraine. Un peu de Brahms s'imposait. Tout en fonçant vers Judiciary Square, je pris connaissance d'un message vocal de la secrétaire de Ramon Davies. Le surintendant voulait me voir dès que possible. Voilà qui ne me rassurait pas trop, après la mise en garde de Ned. La dernière fois que Davies m'avait appelé, c'était pour m'annoncer la mort de Caroline.

Arrivé au Daly Building, je pris l'escalier, et non pas l'ascenseur, pour monter au deuxième au petit trot. Le bureau de Davies était ouvert. Je frappai au chambranle de la porte.

Davies était penché sur des documents. Une partie des nombreuses citations qu'il avait reçues tapissait le mur, derrière lui. Parmi elles, celle d'Enquêteur de l'année décernée par la police de Washington, en 2002, une distinction que j'avais moi-même obtenue en 2004. N'ayant pas de vaste bureau où poser ma plaque, je l'avais laissée quelque part, chez moi, dans un tiroir.

Davies m'accueillit d'un petit signe de la tête. Nous n'étions pas vraiment amis, mais nous travaillions bien ensemble et avions du respect l'un pour l'autre.

— Entrez et fermez la porte.

En m'asseyant, je reconnus mon écriture sur certaines des photocopies qu'il était en train d'étudier.

— Est-ce le dossier de Caroline ?

Avant de me répondre, il se renfonça dans son fauteuil et me dévisagea.

— J'ai eu un coup de fil des Affaires internes, ce matin.

Allons bon. Il ne manquait plus que ça. Les Affaires internes, autrement dit la police des polices, s'appelaient avant Office de la responsabilité professionnelle. Et encore avant, Affaires internes. À Washington, on change souvent d'avis.

— Que voulaient-ils ?

— Je crois que vous le savez. Avez-vous menacé Ryan Willoughby, le présentateur de Channel Nine ? Ce connard prétend que oui. Et son assistante confirme.

— N'importe quoi, répondis-je au bout de quelques secondes. La conversation s'est un peu échauffée, c'est tout.

— D'accord. J'ai reçu un autre coup de fil, hier, de la part du député Mintzer. Devinez à quel propos.

Je n'en revenais pas, même si les jeux de pouvoir et l'intimidation étaient l'une des spécialités de la capitale.

— On a découvert leurs numéros de téléphone, à l'un et à l'autre, chez Caroline.

— Inutile de me donner des explications. Pour l'instant, en tout cas. (Il brandit le dossier.) Je veux juste être sûr que vous gardez la tête froide dans cette affaire.

— Absolument, mais il ne s'agit pas d'une enquête criminelle comme les autres, et je ne dis pas ça parce qu'on a retrouvé ma nièce déchiquetée.

— Vous avez totalement raison, et c'est là le hic. Ces plaintes peuvent devenir un problème. Pour vous et pour toute l'enquête.

Tout en répondant aux questions de Davies, j'étais déjà en train de gamberger. Si le dépôt de plainte d'un particulier donne lieu à une enquête, il y a quatre possibilités : la plainte est retenue, elle est jugée infondée, elle est rejetée par manque de preuves, ou bien l'agent de police est disculpé parce qu'il n'a enfreint aucune règle. Je pouvais raisonnablement espérer qu'au pire ce serait mon cas.

Davies n'en avait toutefois pas fini avec moi.

— De tout ce service, vous êtes l'enquêteur auquel je laisse le plus de liberté de manœuvre.

— Je vous en remercie. Je ne me débrouille pas trop mal, si ? En dépit des apparences.

Il esquissa un sourire, me scruta encore quelques secondes, se détendit. Lorsqu'il commença à ranger ses notes, je sus que le plus dur était passé. Enfin, pour l'instant.

— Je tiens à ce que vous dirigiez cette enquête, Alex, mais je vous préviens : si quelqu'un essaie d'intervenir directement auprès de ma hiérarchie, je vous retire immédiatement l'affaire. Et je dis bien immédiatement.

Il se leva, sa manière à lui de me faire comprendre qu'il fallait que je m'en aille pendant que j'en avais la possibilité.

— Tenez-moi informé. Je ne veux pas avoir à vous appeler encore une fois. C'est vous qui m'appelez.

— Bien sûr.

Je sortis. Si je m'attardais, j'allais devoir lui parler de mon entretien avec Ned Mahoney, et ça, je ne pouvais pas me le permettre. Pas maintenant, alors que Davies envisageait déjà de me raccourcir la bride.

Je lui raconterais tout plus tard. Dès que j'aurais moi-même obtenu quelques éléments de réponse.

36

Tony Nicholson se souvenait d'une nouvelle qui avait eu beaucoup de succès à l'époque où il était écolier. Elle s'intitulait *Le Plus Dangereux des Jeux*[1]. Le jeu auquel il se livrait aujourd'hui était du même genre, mais grandeur nature, et bien plus dangereux qu'une malheureuse histoire dans un recueil.

Le regard rivé sur ses écrans, Nicholson attendait, en s'efforçant d'y aller doucement sur le whisky. Zeus était attendu d'une minute à l'autre, il avait prévu de venir, et Nicholson devait prendre une décision.

Avec ce taré, c'était la même histoire depuis des mois. Nicholson lui bloquait l'appartement de la remise, réservait des filles chaque fois qu'il le demandait, puis se torturait l'esprit : risquait-il de signer son arrêt de mort en enregistrant une de ses petites soirées ?

Si les quelques séances qu'il avait regardées lui avaient déjà permis de voir pas mal de choses, il n'avait aucune idée de ce dont Zeus était capable, et ignorait même tout de son identité. Seule certitude, ce type était un brutal. Certaines des filles avec lesquelles il s'était offert une séance avaient d'ailleurs totalement disparu de la circulation. Enfin, elles n'étaient pas revenues travailler après leur rencontre avec Zeus...

---

1. *The Most Dangerous Game*, adapté au cinéma sous le titre *Les Chasses du comte Zaroff*. À noter que *game*, en anglais, signifie aussi bien « jeu » que « gibier ».

Peu après minuit et demi, une Mercedes noire aux vitres teintées s'arrêta devant le portail de la propriété. Personne ne sonna à l'Interphone. Nicholson ouvrit la grille à distance et attendit l'arrivée de la voiture.

Ses doigts glissaient machinalement sur le pavé tactile du clavier. Enregistrer, ne pas enregistrer, enregistrer, ne pas enregistrer.

Deux minutes plus tard, la Mercedes passait devant la maison pour se diriger vers la remise à chariots, sa destination. Les plaques étaient masquées, comme chaque fois.

Avant l'arrivée de Zeus, cet appartement était une suite VIP proposée à des clients triés sur le volet et capables de se l'offrir. Le tarif de base, vingt mille dollars la nuit, ne comprenait que l'hébergement, les repas et les boissons. En matière d'aménagements et de prestations, c'était le *nec plus ultra* : grands alcools et grands vins, cuisine de luxe, produits gastronomiques, hammam en marbre, douche hydromassante, deux cheminées et un équipement électronique extrêmement sophistiqué. Les lignes téléphoniques, indépendantes, étaient ainsi dotées de routeurs et de brouilleurs de voix multifréquences rendant impossible la localisation des appels sortants.

Nicholson agrandit l'image du séjour. Deux filles attendaient, conformément aux instructions. Elles savaient simplement qu'il s'agissait d'un client seul et qu'elles seraient payées en heures supplémentaires, soit un minimum de quatre mille dollars chacune.

Quand la porte du garage, au rez-de-chaussée, bascula, les deux filles se levèrent pour se pomponner.

Puis, non sans une certaine nervosité, Nicholson regarda Zeus entrer dans la pièce à grands pas, semblable à n'importe quel autre client avec son costume bleu pétrole impeccable, sa mallette en cuir et son pardessus couleur fauve.

À un détail près. Zeus portait un masque. Un masque noir, comme chaque fois. Tel un bourreau.

— Bonsoir, mesdemoiselles. Très joli. Très sympa. Êtes-vous prêtes pour moi ?

Toujours les mêmes mots.

Et cette voix, trop grave pour être naturelle.

Une autre pièce de son déguisement.

Qui était donc cet immonde pervers, si riche et si puissant ?

37

À travers les fentes étroites de son masque, Zeus étudia les deux jeunes filles et les trouva superbes, de toute beauté. L'une était grande, avec de longs cheveux bruns et une peau d'albâtre. L'autre, plus petite, la peau foncée, devait être latino-américaine.

On leur avait manifestement demandé de ne poser aucune question au sujet de son masque ou de son identité, aucune question d'ordre personnel. Tant mieux. Il se sentait d'excellente humeur.

— Je crois que nous allons bien nous amuser, dit-il.

Elles n'avaient pas besoin d'en savoir plus pour l'instant et, à dire vrai, il n'avait aucune idée de la tournure que prendrait la séance. Il n'était sûr que d'une chose : tout se passerait selon ses désirs. Il était Zeus, après tout.

Ces quelques mots encouragèrent les filles à se présenter. Katherine, Renata.

— Puis-je prendre votre manteau ? proposa Katherine d'un ton séducteur. Vous offrir quelque chose à boire ? Qu'aimeriez-vous ? Nous avons de tout.

— Non, merci. Rien pour l'instant.

Il était poli, mais très réservé, pour ne pas dire bizarre. Par exemple, il ne touchait jamais à rien à l'extérieur de la chambre. Ceux qui travaillaient pour lui le savaient.

— Allons dans la chambre. Vous êtes les plus belles filles que j'aie vues ici, soit dit en passant. Je me demande laquelle de vous deux est la plus jolie...

Tout avait été soigneusement préparé, comme d'habitude. Les rideaux étaient tirés, il y avait une bouteille de vodka Grey Goose et une boîte neuve de gants en latex sur la commode, et rien d'autre ; pas de bibelots, pas de tapis et, pour toute parure de lit, une alèse en caoutchouc recouvrant le matelas.

Katherine s'assit et passa la main sur le lit.

— Voilà qui est intéressant. Très fonctionnelle, la déco.

Zeus ne fit aucun commentaire.

Il demanda aux filles de se déshabiller, puis enleva à son tour ses vêtements, sans retirer son masque, et les plia méthodiquement sur la commode afin de pouvoir repartir comme il était venu, tiré à quatre épingles.

Puis il ouvrit sa mallette.

— Je vais vous attacher, les filles. Rien d'affolant. On vous a mises au courant, n'est-ce pas ? Bien. Qui a déjà été menottée ?

Renata, la timide, fit non de la tête. L'autre, Katherine, acquiesça en arborant un air racoleur.

— Une fois ou deux. Et vous savez quoi ? Ça ne m'a pas servi de leçon. Je n'ai pas été sage.

— Pas ça, Katherine, dit-il, et elle le regarda en faisant mine d'ignorer de quoi il parlait. Ne joue jamais la comédie avec moi. S'il te plaît. Reste naturelle. Je sais faire la différence.

Avant d'entendre d'autres inepties, il jeta une paire de menottes sur le lit.

— Mettez-les, s'il vous plaît. Ce que j'aimerais, c'est que vous les partagiez. Une paire pour deux.

Tandis que les filles se menottaient l'une à l'autre, il enfila une paire de gants et sortit le reste de son matériel : deux autres paires de menottes, un écheveau de corde en nylon neuf, deux bâillons en cuir noir avec une boule en caoutchouc rouge.

— Maintenant, allongez-vous.

Il s'occupa d'abord de Renata, dont le regard commençait à receler quelque chose d'intéressant. Une inquiétude croissante, un début de peur.

— Donne-moi ta main libre.

Il menotta son poignet au montant du lit.

— Merci, Renata. Tu es adorable. J'aime les femmes obéissantes. C'est mon péché mignon.

Lorsqu'il fit le tour du lit pour s'occuper de Katherine, celle-ci cambra légèrement le dos et écarquilla les yeux. Un regard vide, plutôt qu'apeuré.

Elle l'énervait déjà. Comme une petite épouse aguicheuse prête à faire son devoir conjugal. Il la menotta sèchement à l'autre montant et entreprit de la bâillonner avant qu'elle ne dise encore quelque chose et ne lui gâche la soirée.

— Je vois bien que tu continues à jouer la comédie, et assez mal, d'ailleurs. Là, tu es en train de m'énerver. Je suis désolé, mais je me déteste quand je suis dans un état pareil. Et toi aussi, tu vas me détester.

Il serra la sangle du bâillon de toutes ses forces, et de la force, il en avait à revendre. La fille voulut prononcer un mot, mais ne parvint qu'à émettre un vague grognement. Il lui avait fait mal. Tant mieux. Elle l'avait mérité.

Lorsqu'il recula, le visage de Katherine n'affichait plus du tout la même expression. Maintenant, elle avait réellement peur de lui. Un sentiment qu'on ne pouvait pas simuler.

— Voilà qui est beaucoup mieux. Bon, voyons si je peux trouver de quoi améliorer ta prestation. Oh, et si on essayait ça ?

Il sortit de sa mallette noire un pistolet à impulsion électrique, un Taser. Ainsi que des tenailles.

— C'est magnifique, Katherine. Tes progrès sont époustouflants. Tout est dans le regard.

38

Nicholson avait l'impression d'avoir passé la nuit à boire du café, et non du whisky. Le regard fixé sur le faisceau de ses phares sur Lee Highway, la paupière lourde, il avait hâte de boire un dernier verre, d'avaler un somnifère léger et d'échapper, ne fût-ce que quelques heures, aux images qui lui torturaient l'esprit.

De toute manière, c'était fait. Il avait effacé le disque dur et emporté le DVD. Il avait enregistré la séance de Zeus avec les deux filles. Il avait été témoin d'un véritable film d'horreur. Qu'allait-il en faire ?

Il caressait l'idée de continuer à se balader en voiture jusqu'au matin et de mettre le DVD au coffre, à la banque, en espérant ne jamais l'en ressortir. D'un autre côté, en cas de besoin, il valait mieux qu'il l'ait à portée de main. Juste au cas où...

Nicholson ne s'était jamais laissé aller à imaginer que sa petite entreprise pourrait durer éternellement. La gestion de son club ultra-confidentiel et de ses vilaines opérations de chantage tenait de l'équilibrisme. Avec Zeus en prime, la situation devenait insupportable, et ce malade mental ne semblait pas prêt à lever le pied.

Si Nicholson voulait laisser tomber toute l'affaire, il fallait qu'il disparaisse, et le plus tôt possible.

Il passa en revue les différents scénarios qui s'offraient à lui.

Il avait un peu plus de deux millions de dollars sur son compte offshore aux Seychelles. Il allait toucher cent cinquante mille dollars de Temple Suiter, et la soirée de Al-Hamad, la semaine suivante, lui rapporterait sans doute au moins autant. Ce n'était pas suffisant pour le mettre à l'abri du besoin jusqu'à la fin de ses jours, mais bien assez pour lui permettre de quitter le pays et lui assurer un train de vie plus que correct pendant un moment. Quelques années, tout au moins, voire davantage.

Il pouvait passer par Zurich et se mettre au vert quelque part, le temps d'obtenir un second passeport. De nombreux pays offraient la possibilité d'acquérir une nouvelle nationalité ; l'Irlande, par exemple, où il n'attirerait pas trop l'attention. Une fois en possession de son sésame, il pourrait repartir. Pourquoi pas vers l'Extrême-Orient ? Il avait toujours entendu dire que le commerce des corps, à Bangkok, était des plus florissants. Peut-être était-il temps d'aller vérifier.

En attendant, il y avait Charlotte.

Qu'est-ce qui lui avait pris de l'épouser ? S'était-il cru capable de faire de ce tas d'argile une œuvre digne d'être conservée ? Lorsqu'ils s'étaient rencontrés, elle n'était qu'une prof londonienne de rien du tout, et aujourd'hui, elle n'était qu'une Américaine au foyer de rien du tout. Cela tenait du gag, un gag pathétique.

Une chose était sûre : Mme Nicholson ne serait pas du voyage. Restait juste à trouver quelqu'un pour la liquider. Au point où il en était, ça ne ferait qu'un cadavre de plus et il était tout à fait disposé à débourser vingt ou trente mille dollars pour l'empêcher de jacasser, comme elle le faisait si bien, après son départ.

Nicholson arriva chez lui peu après 4 heures. Toujours plongé dans ses réflexions au moment de s'engager dans son allée, en pente, il faillit emboutir la Jeep noire quatre portes garée devant son garage.

— C'est quoi, ça ?

Il pensa immédiatement au DVD dans la boîte à gants, et à Zeus. Quelqu'un pouvait-il être déjà au courant de l'existence de cet enregistrement ? Était-ce possible ?

Peu désireux de connaître la réponse, Nicholson passa brutalement la marche arrière.

Trop tard.

De l'autre côté de la vitre, un gros type avait déjà braqué son arme sur lui, et il faisait non de la tête.

39

Nicholson eut soudain la désagréable impression de se retrouver dans un épisode des *Soprano*.

Ils étaient deux. Un autre type avec une bonne tête de truand surgit dans le faisceau des phares, et pointait lui aussi une arme sur sa tête.

Le gros ouvrit la portière de Nicholson, puis recula. Il avait la mâchoire pendante et sa pauvre chemisette de golf rentrée dans le pantalon soulignait une bedaine de compétition qu'on aurait dite suspendue dans le vide. Un type aussi débraillé pouvait difficilement travailler pour Zeus. Une question s'imposait donc :

— Qui êtes-vous ? Que me voulez-vous ?

— On travaille pour M. Martino.

Un accent new-yorkais, ou de Boston, enfin du nord de la côte est.

Nicholson sortit lentement de la voiture, les deux mains bien en évidence.

— D'accord, et qui est M. Martino ?

— Plus de questions à la con, rétorqua le malfrat corpulent en indiquant la maison. On va à l'intérieur. On te suit, mon grand.

Nicholson se fit la réflexion qu'il serait déjà mort si on était venu pour l'exécuter. Ils voulaient autre chose, mais quoi ?

À peine avaient-ils franchi le seuil de la porte que la petite voix très énervante de Charlotte suinta du couloir de l'étage.

— Chéri ? Avec qui es-tu ? Il est un peu tard pour recevoir des gens, non ?

Même en cet instant, il l'aurait volontiers étranglée, ne fût-ce que parce qu'elle était là où il ne fallait pas.

— Ce n'est rien. Ça ne te regarde pas. Retourne te coucher, Charlotte.

Des jambes et des pieds nus surgirent dans la lumière, en haut de l'escalier.

— Que se passe-t-il ?

— Tu es sourde, ou quoi ? Va-t'en. Tout de suite.

Apparemment, elle comprit qu'il ne fallait pas insister et se fondit dans l'obscurité.

— Reste en haut, ajouta-t-il. Je te rejoins plus tard. Rendors-toi.

Il conduisit ses deux invités surprises au grand salon du fond, pour plus de discrétion. C'était d'ailleurs là que se trouvait le bar, vers lequel il se dirigea immédiatement.

— Vous, je ne sais pas, mais moi, j'ai besoin d'un verre et...

Il sentit un violent craquement à l'arrière de son crâne et tomba à genoux.

— Tu t'imagines peut-être qu'on est venus pour le plaisir ? hurla le gros.

Nicholson était dans une colère telle qu'il aurait pu se battre, mais le combat était perdu d'avance. Alors il se releva et s'affala sur le canapé, en recouvrant peu à peu la vue.

— Qu'est-ce que vous me voulez, alors, à 4 heures du matin ?

Le gros se pencha sur lui.

— On cherche un de nos gars. Il est venu ici il y a une dizaine de jours et on n'a pas de nouvelles depuis.

Ah ! ce qu'il aurait aimé lui régler son compte, à ce gros con ! C'était malheureusement impossible, tout au moins dans l'immédiat. Mais un jour, ailleurs...

— Il faudrait que j'en sache un peu plus. Qui est-ce ? Donnez-moi un indice.

— Il s'appelle Johnny Tucci, répondit Gros Lard.

— Qui ça ? Je n'ai jamais entendu parler de lui. Tucci ? Il est venu chez moi, au club ? Qui est-ce ?

L'autre se rapprocha. Il puait la cigarette et la transpiration.

— Arrête de te foutre de notre gueule. On sait tout sur ta boîte à la campagne, O.K. ?

Nicholson se redressa. Il y avait peut-être tout de même un rapport avec Zeus, en fin de compte. Ou avec son petit business parallèle ?

— Eh oui, poursuivit le type. Tu crois que M. Martino envoie ses hommes ici pour qu'ils prennent des vacances ?

— Écoutez, je ne vois toujours pas de quoi vous parlez.

Ce qui était en partie exact.

Gros Lard posa ses fesses sur la table basse en loupe d'orme et baissa son arme pour la première fois. Nicholson aurait pu envisager d'en profiter, si son complice n'avait pas été aussi près.

— Dans ce cas, je vais tout t'expliquer, répondit Gros Lard d'un ton presque conciliateur. L'un de nos gars manque à l'appel. On a du mal à remonter jusqu'au type qui a passé le contrat avec notre boss. Pour l'instant, on n'a que toi. Ce qui veut dire que notre problème devient maintenant ton problème. Tu comprends ?

Nicholson croyait avoir compris, hélas.

— Que voulez-vous que je fasse au sujet de ce... de notre problème ?

Le gros haussa les épaules avant de gratter son semblant de menton du bout de son pistolet.

— Pour faire court, il faut qu'on ramène quelqu'un à M. Martino. Alors tu te renseignes, tu trouves ce que tu peux, sinon c'est toi qu'on ramène.

— Ou bien la petite dame du premier, suggéra l'autre.

— Je vous laisse la petite dame, répondit Nicholson. Comme ça, nous serons quittes.

Le gros finit par sourire, puis se leva. C'en était manifestement terminé pour ce soir.

— Mon verre, je vais l'emporter, dit-il à Nicholson.

Il trottina jusqu'au bar où son acolyte était déjà en train d'embarquer autant de bouteilles que possible.

Après le départ des deux mafieux, quand il put enfin se servir un verre et mettre quelques glaçons sur son crâne, Nicholson remarqua que tout le Johnnie

Walker avait disparu, alors que le Dalmore 1962, un flacon à quatre cents dollars, était toujours là, bien en évidence. Il y vit un autre présage inquiétant.

Si ces deux losers s'en prenaient à lui, cela signifiait que la situation était en train d'évoluer beaucoup plus vite qu'il n'aurait pu l'imaginer.

Bon, qui était ce con de Johnny Tucci ?

40

Pour Suarez et Overton, les contacts avec Zeus se faisaient toujours à l'aveugle. L'accord conclu avec les commanditaires prévoyait qu'ils ne devaient jamais le rencontrer. Ils passaient derrière lui dans la suite de Blacksmith Farms, nettoyaient les lieux et enlevaient tout ce qui était à enlever, y compris les corps.

Peu avant l'aube, leur très banale G6 s'engagea en cahotant sur un chemin forestier qu'ils connaissaient bien, au fin fond de la Virginie. L'arrière de la Pontiac traînait un peu, à cause du poids dans le coffre.

— J'ai une question à te poser, dit Suarez à son équipier. Il est richissime, c'est évident. Pourquoi prend-il ce risque ? Il est complètement fou, ou quoi ?

— Oui, dans une certaine mesure.

— Dans une certaine mesure ? Tu veux dire à cent pour cent ! Il est taré de chez taré. Comment fait-il pour ne pas se faire coincer ? Comment ?

— Eh bien, par exemple : est-ce que tu sais, toi, Suarez, qui est ce type ?

— Non, tu as raison, je ne le sais pas. Mais quelqu'un doit le savoir. Il faudra bien que quelqu'un l'arrête.

— Que veux-tu, bienvenue dans l'univers délirant des gens riches et célèbres. Broyeur à bois, nous voilà !

41

Remy Williams se méfiait de ces deux types, et ça depuis le jour où ils avaient passé leur contrat. Quand ils s'arrêtèrent devant la cabane et ne daignèrent même pas descendre de voiture, il comprit qu'il y avait autre chose. Ils n'étaient pas venus simplement déposer leurs sacs-poubelles.

— Comment ça va, les gars ?

Il s'approcha, traînant les pieds comme le loqueteux qu'il était censé être.

— Alors, vous me ramenez quoi, ce coup-ci ?

— Deux filles. (Le Latino, qui était au volant, leva les yeux sans oser affronter son regard. Fallait-il en déduire qu'il avait mauvaise conscience ?) L'une a pris une balle dans la poitrine. Tu verras.

— Ah bon ? Pourquoi vous lui avez tiré dessus ?

— Je ne sais pas, peut-être parce qu'on cherche toujours celle qui s'est barrée.

Remy voyait bien que le type l'asticotait, mais qu'il ne connaissait pas trop le pourquoi de ces meurtres. Il n'était qu'un rouage, il ignorait certains éléments et s'imaginait sûrement que personne, d'ailleurs, ne les connaissait. Comme pour l'assassinat des deux frères Kennedy. Et l'affaire O.J. Simpson.

Il décida de jouer le jeu.

— Moi, j'ai bien l'impression que l'autre, vous l'avez descendue aussi. Si ça se trouve, elle s'est pas sauvée. Peut-être qu'elle est toujours quelque part dans les bois, en train de se décomposer. Là, maintenant. Peut-être que le corps a été trouvé par des randonneurs.

— Ouais, peut-être, soupira l'ex-agent, ostensiblement agacé. Bon, si tu pouvais juste vider le coffre, comme ça on repartirait tranquillement, d'accord ?

Remy se gratta l'entrejambe – sans doute surjouait-il un tout petit peu – avant de faire le tour de la voiture. L'autre lui ouvrit le coffre à distance.

Nom de Dieu.

Les deux corps étaient emballés dans du polyuréthane noir double épaisseur scellé avec du ruban adhésif. Ces types étaient des pros dans leur domaine, il devait l'admettre. Mais qui, au départ, s'attaquait à ces filles ? Quel était le fin mot de l'histoire ? Qui était le tueur ?

Il hissa les deux « paquets » hors du coffre et les posa sur la bâche qu'il avait dépliée. Ses instruments étaient prêts, sur une grosse souche de noyer, et il y avait un gros bidon d'essence en réserve à côté du broyeur.

— Laquelle s'est pris une balle ?

— La grande. Partie gauche du thorax. Quel gâchis. Un vrai canon, la fille.

Il retourna le corps et découpa le plastique de la pointe de son coutelas, en partant du milieu, et en appuyant juste assez pour laisser une fine ligne rouge dans le sillage de la lame. Lorsqu'il rabattit l'emballage, il découvrit un petit cratère juste au-dessus du sein gauche, magnifiquement galbé. Le cadavre était encore chaud. Une trentaine de degrés. La mort remontait à quelques heures, au maximum.

— C'est bon, j'ai trouvé. Vous voulez que je retire la balle ou ça vous est égal ?

— Tu la retires et tu t'en débarrasses.

— O.K. Voilà ! Autre chose ?

— Ouais. Ferme le coffre.

Quelques secondes plus tard, les deux petits malins avaient disparu.

S'il ne leur faisait pas confiance, Remy se fichait bien de leur arrogance, surtout parce qu'elle jouait en sa faveur. Ces deux-là devaient être loin de se douter qu'on pouvait les sacrifier à tout moment.

Que leur vie ne tenait qu'à un fil.

En fait, ils lui avaient déjà largement facilité le travail en effaçant eux-mêmes leur identité. Aujourd'hui, ils n'étaient plus que des fantômes, et Remy savait comme tout le monde que lorsque c'était nécessaire, il n'y avait rien de plus facile que faire disparaître un spectre.

Il en était capable ; il l'avait déjà fait. Pour tout dire, c'était son métier, et son business prospérait.

Il déballa la seconde fille ; superbe, elle aussi. On aurait dit qu'elle avait été étranglée. Et mordue ? Il lui massa les seins, encore tièdes, s'amusa encore un peu avec elle, puis transporta les deux corps jusqu'au broyeur, un peu plus haut.

Quel gâchis, effectivement. Qui pouvait faire une chose pareille ? Un type encore plus dérangé que lui ?

42

J'eus un autre rendez-vous clandestin avec Ned Mahoney, le samedi après-midi, cette fois-ci dans un parking couvert de M Street, à Georgetown.

En me garant, je pensais au personnage de Gorge Profonde dans *Les Hommes du Président*, le film comme le livre. Tout cela sentait effectivement l'affaire d'espionnage. Que se passait-il ?

Quand je descendis de voiture, Ned était déjà là. Il me tendit une enveloppe jaune frappée du sceau du FBI. À l'intérieur, je trouvai des notes et une série de photocopies. Il y avait deux photos par page.

— De qui s'agit-il ?

— Renata Cruz et Katherine Tennancour. Elles ont toutes les deux disparu et on pense qu'elles sont mortes.

Chaque photo montrait l'une des filles dans un lieu différent de Washington, toujours avec un homme d'âge mûr, souvent blanc.

— C'est David Wilke ? demandai-je en désignant quelqu'un qui ressemblait énormément à l'actuel président du Comité des forces armées, au Sénat.

Ned opina.

— Oui, c'est David Wilke. Les deux jeunes femmes comptent des hommes très importants parmi leurs clients, et c'est d'ailleurs la raison pour laquelle on les recherche. Katherine Tennancour, en tout cas, travaillait dans ce club privé de Virginie.

Je regardais Mahoney sans rien dire.

— Je sais parfaitement à quoi tu penses, me dit-il. Tant qu'à faire, on devrait éplucher le listing de tous les députés et de tous les sénateurs.

Cette affaire devenait de plus en plus épineuse. Il était impossible de pister ce tueur ou de mettre au jour un éventuel réseau sans déclencher un vaste déballage de linge très, très sale. L'enquête ferait des victimes innocentes dans de nombreuses familles, et ce n'était que le début.

Pour beaucoup moins que ça, des majorités avaient basculé au Sénat comme à la Chambre des représentants, des candidats à la présidentielle avaient été écartés de la course, des gouverneurs avaient perdu leur poste. Tous ceux mis en cause se défendraient farouchement. L'intervention de la police des polices m'avait, en quelque sorte, donné un avant-goût plutôt désagréable de ce qui m'attendait. Aucun flic ne rêve de ce genre d'affaire prétendument susceptible de propulser sa carrière.

— Tu te rends compte, Ned, c'est un peu comme si on attendait le passage d'un ouragan.

— Ou plutôt, comme si on cherchait les ennuis en lui courant après. Une vraie tornade de merde, catégorie cinq. Washington est une ville formidable, tu ne trouves pas ?

— Si, mais pas en ce moment.

— Écoute, Alex. (Le ton redevint grave.) Le FBI a pris les choses en main et ça ne va pas tarder à exploser. Je comprendrais parfaitement que tu veuilles te retirer, et si c'est le cas, autant le faire maintenant. Il suffit que tu me rendes l'enveloppe avec toutes les belles choses qu'il y a dedans.

Cette proposition me surprenait un peu, car je croyais que Ned me connaissait beaucoup mieux que cela. C'était donc une sorte de mise en garde.

— Dois-je en déduire que vous êtes prêts à lancer un raid sur le club ?

— J'attends le feu vert du juge d'une minute à l'autre.

— Et ?

Ned eut un petit sourire et je crus lire sur son visage un certain soulagement.

— Et quand tu rentreras chez toi ce soir, il vaudrait mieux que tu laisses ton téléphone allumé. Je vais t'appeler.

43

Seule agréable nouvelle de la journée, le bon dîner en famille qui m'attendait. J'eus même le temps de jouer un peu avec les enfants, juste avant le raid qui allait sans doute faire l'effet d'un coup de tonnerre. Je m'attendais à vivre des instants historiques, tout dépendrait de l'identité des messieurs présents sur place.

Jannie avait appris à Ali les règles de *Sorry !*, l'un des jeux de société les plus soporifiques de l'univers, mais avec eux, j'étais capable de jouer à n'importe quoi. Entre deux tours, je faisais le pitre, je subtilisais des pièces sur le plateau, je racontais à Ali de vieilles devinettes, du style : « Qu'est-ce qui est petit, jaune et qui fait crac crac ? »

— Un poussin qui mange des chips !

Répondre à la place des autres, c'est la spécialité de Jannie, mais Ali était aux anges. Ce petit adore rire. C'est, de loin, le moins sérieux de mes trois enfants.

Nana, assise un peu plus loin, nous surveillait du coin de l'œil tout en lisant *Mille Soleils splendides*, un roman qui lui arrachait des larmes. Bree et elle avaient fini par trouver une sorte d'accord. Bree assurait une part plus importante de la gestion de la maison et Nana, elle, apprenait à déléguer certaines des tâches qu'elle s'était toujours appropriées, telles que le remplissage du lave-vaisselle.

Que du bonheur, jusqu'à ce que le téléphone sonne.

La plupart du temps, je me prépare à une levée de boucliers. « Papa, ne décroche pas ! » est devenu le grand refrain de la maison. Là, ils se contentèrent de regarder ailleurs en attendant l'inévitable.

Je culpabilisai encore plus.

Un nom s'affichait sur le téléphone. Mahoney. Comme promis.

— Je suis désolé. Là, il faut vraiment que je réponde.

Leur silence assourdissant me suivit dans le couloir.

— Ned ?

— C'est parti, Alex. Il y a un Holiday Inn à Arlington. Tu prends la sortie 72. On peut se retrouver sur le parking si tu arrives tout de suite, et je dis bien tout de suite.

44

Le nom de code de l'opération était Coitus Interruptus, ce qui prouve qu'il y a encore des gens, au FBI, qui ont le sens de l'humour.

Ned avait réuni son équipe au grand complet dans une petite ferme du comté de Culpeper, à une heure et demie de route de Washington, à l'ouest, non loin du parc national de Shenandoah. Il y avait là un groupe assez hétéroclite, ce qui en disait long sur la dimension particulière de ce raid : Mahoney et Renee Victor, coresponsable de l'enquête ; six agents du HRT ; trois négociateurs du Support tactique et une équipe d'intervention du SWAT forte de dix hommes.

J'étais un peu surpris de ne pas trouver que des hommes du HRT, mais loin d'être inquiet, car le SWAT du FBI compte parmi les meilleures unités tactiques du monde. Voilà qui promettait du spectacle.

Il y avait également un représentant de la police d'État de Virginie, qui avait mis deux fourgons cellulaires à la disposition de l'opération. Et moi, bien entendu. J'ignorais auprès de qui Ned avait dû intervenir pour autoriser ma présence, mais je lui en étais reconnaissant, tout en sachant qu'à ses yeux je représentais sans doute un plus.

Tout le monde se rassembla derrière un pick-up pour un rapide briefing.

— Il y aura du beau monde, à l'intérieur, annonça Ned. Des gens importants. Pour nous, ça ne change rien, on applique la procédure habituelle. Je veux le SWAT en première ligne, et les agents derrière. Vous sécurisez tous les accès. Il faut vous attendre à tous les scénarios, y compris des scènes sexuelles et même des tentatives de résistance violentes. Cette dernière éventualité reste, à mon avis, peu probable, mais rien n'est à exclure. L'idée, c'est d'agir vite et en toute sécurité afin de nettoyer les lieux autant que possible.

Les repérages avaient révélé trois entrées dans le bâtiment principal, côtés nord, sud et est. Mahoney scinda donc le groupe en trois. J'entrerais par la porte de devant, en même temps que lui. Il y avait également plusieurs dépendances, censées être désertes ce soir-là. Elles avaient dû en voir, des parties fines…

Ned récupéra à l'arrière de sa voiture, à mon intention, un blouson du FBI et un gilet pare-balles Aramid dernière génération, bien plus léger que tout ce que j'avais connu jusqu'alors – ce qui m'arrangeait, car nous avions plusieurs kilomètres à parcourir à pied.

Il nous fallut trois quarts d'heure pour faire le chemin à travers bois et broussailles, tant la végétation était dense. Au bout d'un peu moins de deux kilomètres, nous passâmes en mode vision nocturne, ceux qui en étaient équipés guidant les autres.

Les conversations s'arrêtèrent. Seuls subsistaient les échanges radio occasionnels entre Mahoney et le commandant du SWAT.

Une dernière butte, et nous aperçûmes la façade de la maison, qui comptait deux étages. À un peu plus de soixante-dix mètres de la façade, nous étions à l'abri des regards. Ned demanda au SWAT d'encercler les lieux. On me prêta des jumelles. Nous attendions le top départ.

C'était une immense maison en grès, un véritable manoir. Et l'allée évoquait une exposition de voitures de luxe – Mercedes, Rolls, Bentley, Lamborghini de collection, Ferrari rouge.

Les hautes fenêtres à meneaux du rez-de-chaussée étaient éclairées, mais je ne distinguais personne. Tout se passait sans doute à l'étage, plongé dans l'obscurité.

Était-ce l'endroit où Caroline avait été tuée, où son corps avait été si odieusement profané ? Allions-nous découvrir la boucherie d'un sadique, ou juste une salle de jeux pour hommes riches ? Je ne savais pas à quoi m'attendre, et je n'aimais pas ça.

Mahoney reçut la confirmation qu'il attendait. Je n'entendais pas ce qu'on lui disait dans le casque, mais l'assaut semblait imminent. Il demanda aux autres unités, qui s'étaient déployées autour de la propriété, de se tenir prêtes, puis me regarda avec son petit sourire ironique.

— Prêt pour le Coitus Interruptus ?

— Plus que jamais.

— Alors, c'est parti. Je pense qu'on va s'éclater. (Il procéda au compte à rebours.) À toutes les unités : tenez-vous prêts. Ne blessez personne, ne vous faites pas blesser.

Quelques secondes plus tard, le SWAT déferlait sur la maison au pas de course, suivi par le reste des équipes.

45

La porte principale, une belle porte en noyer massif, éclata sous les coups de bélier et le SWAT pénétra dans les lieux sans difficulté. J'avais dégainé mon Glock en espérant ne pas avoir à m'en servir. La dernière fois que Ned et moi avions fait équipe, nous nous étions tous deux retrouvés à l'hôpital.

Avec un peu de chance, ce ne serait pas le cas cette fois-ci. Après tout, nous pourchassions des délinquants en col blanc, non ?

Dès que le SWAT lui donna le feu vert, Ned laissa deux hommes à l'entrée et entraîna tout le monde à l'intérieur.

Je fus d'abord frappé par le luxe des lieux. Un hall cathédrale haut de deux étages, un sol en damier de marbre, d'immenses lustres qui étincelaient comme des bijoux extravagants. Un savant éclairage baignait d'or les meubles d'époque aux vernis et aux bronzes parfaitement astiqués.

Puis je vis toutes ces jeunes femmes magnifiques, certaines en robe du soir, d'autres plus ou moins déshabillées. Trois d'entre elles, entièrement nues et visiblement peu gênées, nous regardaient, les mains sur les hanches, comme si nous venions de faire intrusion dans leur appartement.

Des call-girls de luxe. De l'Américaine type à l'Asiatique, il y en avait pour tous les goûts.

Je traversai le hall et empruntai un couloir, à droite, croisant au passage un agent en train d'escorter vers la sortie deux hommes à la peau foncée, qui parlaient arabe, et une jeune femme noire, très grande. Tous trois nus, ils insultaient les hommes du FBI comme s'ils s'adressaient à leur personnel de maison.

Il y avait de petits salons, ouverts, vides, de part et d'autre et, tout au bout, un vaste fumoir vitré où flottaient des effluves de cigare et de sexe.

Quand je fis demi-tour, j'entendis des cris en provenance de l'entrée. Quelqu'un n'appréciait pas notre présence et le faisait savoir bruyamment.

— Enlève tes sales pattes de moi ! Ne me touche pas, espèce de branleur !

Deux agents du FBI retenaient un grand blond à l'accent anglais qui voulait descendre l'escalier principal.

— C'est une perquisition absolument illégale !

L'Anglais ne manquait pas d'aplomb. Ils durent finalement le plaquer sur le sol de marbre du palier pour lui passer des menottes en plastique.

Je gravis les marches quatre à quatre pour rejoindre Mahoney, qui avait commencé à interroger le type.

— C'est vous le responsable ? Vous êtes Nicholson, c'est bien ça ?

— Allez vous faire foutre ! rétorqua l'autre, qui semblait ne plus vouloir s'arrêter. J'ai déjà appelé mon avocat. Il y a violation de propriété ! Vous enfreignez la loi par votre seule présence. C'est une propriété privée. Laissez-moi me relever, merde ! C'est scandaleux. Il s'agit d'une soirée privée, au domicile d'un particulier !

— Je veux qu'il reste séparé des autres, ordonna Mahoney. M. Nicholson ne doit parler à personne.

Deux des pièces du rez-de-chaussée serviraient de cellules provisoires. Nous entreprîmes de fouiller toute la maison en séparant les clients du personnel et en nous efforçant de noter tous les noms.

En bas, les imprécations résonnaient toujours.

— Oui, je m'appelle Nicholson, et bientôt vous ne pourrez plus l'oublier ! Nicholson, comme l'acteur !

46

J'avais rarement participé à une descente aussi curieuse. Et aussi comique, en fait, si on partage mon sens de l'humour.

Il y avait notamment cette pièce transformée en geôle, où nous découvrîmes un homme en string menotté à l'un des murs de parpaings. Sa dominatrice avait dû l'abandonner là pour le punir. En fait, côté tenues, il y avait vraiment de tout : corps nus, dessous en satin, déshabillés transparents. Sans parler de ce couple en train de se sécher, la tête enturbannée, Monsieur fumant le cigare.

Parmi les hommes, il y avait des Américains et des Saoudiens, dont l'un, appris-je au passage, était un milliardaire du nom de Al-Hamad venu fêter son cinquantième anniversaire. *Bon anniversaire ! Celui-là, tu ne risques pas de l'oublier !*

Le responsable des lieux, ou du moins qui se prétendait tel, avait été enfermé dans un petit bureau du rez-de-chaussée. Quand je le revis, il s'était muré dans le silence. Je remarquai une ecchymose sur sa pommette. Mahoney m'expliqua qu'il avait eu la mauvaise idée de cracher sur l'un des agents chargés de l'arrêter.

J'observai l'Anglais, sur son canapé ancien, entouré de hautes étagères chargées de livres que personne n'avait dû lire. C'était indubitablement un sale con, peut-être proxénète, mais cela ne faisait pas de lui un tueur. Et pourquoi une telle arrogance à notre égard ?

Son avocat débarqua moins d'une heure plus tard. Bretelles et nœud papillon, alors qu'on était en pleine nuit. Si je l'avais croisé dans la rue, je ne l'aurais jamais suspecté d'avoir ce genre de fréquentations professionnelles. Il me faisait penser au Dilbert de la BD sur le monde cruel de l'entreprise.

Sans le fameux étui à stylos.

Mais, hélas, en possession de documents irréprochables.

— Qu'est-ce que c'est ? demanda Mahoney quand l'avocat lui tendit les papiers.

— Une décision en référé. À compter de cet instant, votre ordonnance ayant été annulée, ce raid est illégal. Mon client vous octroie généreusement cinq minutes pour libérer les lieux. Passé ce délai, nous considérerons qu'il y a non-respect d'une décision judiciaire et intrusion constituant une infraction pénale.

Mahoney dévisagea l'avocat aux petits yeux ronds, puis regarda les papiers. Ce qu'il lut sembla avoir l'effet désiré. Il lâcha le document, dont les pages voletèrent comme des feuilles mortes, et s'éloigna. Je l'entendis hurler des ordres et rappeler tous ses hommes pour mettre fin à l'opération.

Je ramassai les papiers. Je voulais savoir une chose.

— Quel juge avez-vous pu trouver à une heure du matin ?

L'avocat se fit une joie de m'indiquer la bonne page.

— Son Honneur le juge Laurence Gibson.

Évidemment.

Des sénateurs, des députés, des milliardaires pour clients. Pourquoi pas un juge ?

TROISIÈME PARTIE

AVEC OU SANS TOI

47

Je finis par rentrer chez moi de bon matin, entre les fourgons de distribution du journal du dimanche et les fanatiques du jogging courant en direction du parc.

Et j'eus la surprise de découvrir Nana profondément endormie dans l'un des fauteuils en osier de la terrasse. Elle portait encore aux pieds ses chaussons roses antédiluviens, mais s'était déjà préparée pour aller à l'église : jupe de flanelle grise, twin-set blanc. Elle n'avait pas assisté à la messe depuis son hospitalisation, et toute la famille avait prévu de l'accompagner.

Quand ma main se posa sur son épaule, elle se réveilla en frissonnant et n'eut qu'à entrevoir mon visage.

— Mauvaise nuit ?

— Suis-je toujours aussi transparent ? gémis-je en m'affalant sur le petit canapé.

— Uniquement pour les initiés. Bon, raconte-moi ce qui s'est passé. Parle-moi.

Pour n'importe quelle autre affaire, j'aurais invoqué la fatigue, mais Nana avait le droit de savoir. Je lui épargnai les détails les plus scabreux, même si j'avais la quasi-certitude qu'elle avait toujours soupçonné Caroline de mener une vie difficilement avouable.

Quand j'en vins à l'intervention de l'avocat jargonneux avec sa « décision de référé », je sentis de nouveau mon sang bouillonner. J'avais abandonné Ali et Jannie, et tout ça pour une nuit gâchée.

— Je crois que Jannie me fait un peu la gueule, dis-je. Comment étaient-ils après mon départ ?

— Oh, tu sais, ils ont survécu. (Puis elle s'empressa d'ajouter :) Si tant est que ça te suffise...

La bise et la gifle en même temps. Du pur Nana Mama.

— Alors c'était ta sœur jumelle qui me faisait un signe d'au revoir, hier soir, en me disant que tout allait bien ? C'est marrant, j'aurais juré que c'était toi.

— Je ne suis pas en train de t'agresser, Alex. (Elle se redressa et s'étira le cou.) Je dis juste que les enfants se fichent parfois pas mal des raisons de ton absence. Tout ce qu'ils voient, c'est que tu n'es pas là. Surtout le petit Damon.

— Tu veux dire Ali.

— C'est ce que j'ai dit, non ? Il n'a que six ans, après tout.

— As-tu assez dormi, la nuit dernière ?

— Pshhhh. Les vieilles, ça n'a pas besoin de dormir. C'est l'un des avantages secrets de l'âge. Voilà pourquoi je suis encore capable de te moucher dans un débat. Bon, maintenant, aide-moi à me lever. Je vais faire un peu de café. Je crois que tu en as besoin.

Je lui tenais le coude et elle était presque debout lorsqu'elle s'arrêta brusquement et s'affaissa légèrement.

— Qu'y a-t-il ?

— Rien. J'ai juste...

Elle sembla tout d'abord désorientée, puis, tout à coup, son visage se crispa de douleur et elle s'affala sur mon bras.

Elle avait perdu connaissance.

Oh, pitié, non.

Son petit corps ne pesait rien. Je la déposai doucement sur le canapé et lui tâtai le cou. Pas de pouls.

— Nana ? Tu m'entends ? Nana ?

Mon cœur battait à tout rompre. Les médecins de St. Anthony m'avaient décrit les symptômes à guetter.

Inanimée, Nana ne respirait plus.

Elle était en arrêt cardiaque.

48

Le cauchemar recommençait. L'arrivée des secours, le trajet en ambulance vécu dans un état second, les questions aux urgences. Puis l'attente, terrible.

J'allais passer la journée et la nuit à l'hôpital. Nana avait survécu à l'infarctus, mais on ne pouvait guère en dire plus pour l'instant.

On l'avait intubée et mise sous ventilation pour l'aider à respirer. Une pince au bout de son index mesurait le taux d'oxygène, tandis que les médicaments nécessaires étaient administrés par perfusion. D'autres fils reliaient sa poitrine à un scope. Je détestais cet écran dont les tracés jouaient les vigiles électroniques, et pourtant, il fallait bien que je lui fasse confiance.

Jusque dans la soirée, ce fut un constant va-et-vient d'amis et de proches. Tante Tia passa avec certains de mes cousins, suivis par Sampson et Billie. Bree amena les enfants, mais on ne les autorisa pas à entrer dans la chambre, et c'était aussi bien. Ils avaient déjà assisté à l'arrivée des secours et au départ de Nana en ambulance, pour la seconde fois.

Puis il y eut les « indispensables » entretiens. Plusieurs membres du personnel hospitalier tenaient à me voir. Il fut question du refus de réanimation en cas de coma irréversible, stipulé dans le dossier de Nana. D'établissements de soins palliatifs. De religion. Juste au cas où. Au cas où elle ne se réveillerait pas ?

Personne ne tenta de me chasser après les heures de visite – j'aurais bien voulu les voir essayer, d'ailleurs – et j'appréciai cette sollicitude. Accoudé au bord du lit, la tête sur les bras, je priais pour Nana.

Au beau milieu de la nuit, elle finit par bouger. Un petit geste de la main, sous la couverture, et j'eus le sentiment que toutes nos prières venaient d'être exaucées.

Un autre mouvement, plus infime encore, et Nana ouvrit lentement les yeux.

Les infirmières m'avaient demandé de rester calme et de parler doucement si cela se produisait. Plus facile à dire qu'à faire.

Je posai ma main sur sa joue jusqu'à ce qu'elle remarque ma présence.

— Nana, ne dis rien pour l'instant. Et n'essaie pas

de râler non plus. Tu as un tube dans la gorge, c'est pour t'aider à respirer.

Son regard fit le tour de la pièce avant de s'arrêter sur mon visage.

— Tu t'es évanouie, à la maison, tu te souviens ?

Elle hocha très légèrement la tête, et je crus même la voir esquisser un sourire, ce qui me réchauffa le cœur.

— Je vais appeler l'infirmière et elle nous dira quand on va pouvoir te débrancher. D'accord ?

Je voulus appuyer sur le bouton d'appel, mais ses yeux s'étaient déjà refermés. Un coup d'œil au scope me rassura : elle dormait, tout simplement.

Les tracés jaune, bleu et vert menaient tranquillement leur petite vie.

— Alors à demain matin, dans ce cas.

Je savais bien qu'elle ne m'entendait pas, mais il fallait que je dise quelque chose.

J'espérais juste qu'il y aurait un lendemain.

49

Le lendemain, à midi, Nana était parfaitement réveillée et respirait sans assistance. Souffrant de cardiomégalie – une dilation du cœur –, elle était trop faible pour quitter les soins intensifs, mais nous avions bon espoir de la revoir à la maison. Pour fêter cela, je fis venir discrètement les enfants. Ce fut la réunion de famille la plus brève et la plus calme de notre histoire.

D'autres bonnes nouvelles m'étaient reservées sur le front professionnel. Une avocate du FBI avait réussi à faire valoir que l'agence fédérale disposait de raisons suffisantes pour perquisitionner Blacksmith Farms et Ned était sur place avec une Evidence Response Team au grand complet, une équipe d'experts en collecte d'indices.

Bree me remplaça à l'hôpital – tante Tia prendrait ensuite la relève – et, dans l'après-midi, je repartis pour la Virginie.

Ned m'attendait dehors pour qu'on me laisse passer. Le FBI s'intéressait principalement à un petit appartement situé dans l'une des dépendances, derrière la maison. On y accédait par un escalier intérieur, depuis un garage prévu pour accueillir trois véhicules.

À l'intérieur, on se serait cru dans une suite du Hay-Adams, l'hôtel le plus chic de Washington. Les meubles étaient tapissés d'une toile de lin soyeuse, dans des tons clairs. Il y avait un faux plafond au-dessus de la salle à manger, et un tour de cheminée en noyer poli.

Si l'on faisait exception des techniciens en pantalon brun et polo bleu siglé ERT, les lieux étaient immaculés.

— Ce qui nous intrigue, c'est la chambre.

La double porte vitrée à rideaux était ouverte.

— Pas de moquette, pas de babioles, pas de draps, rien.

Un lit nu, une commode, deux tables de chevet. Comme si quelqu'un venait de déménager.

— On n'a trouvé ni empreintes, ni fibres. Alors on passe au luminol.

Ce qui expliquait les lampes à ultraviolets disposées dans la pièce. Mahoney éteignit le plafonnier et referma la porte.

— Allez-y, les gars.

Aussitôt, ce fut comme si toute la chambre était devenue radioactive. Les murs, le sol, les meubles, tout était bleu fluo. J'avais cette impression familière de me retrouver dans un épisode des *Experts*.

— Cette pièce a été nettoyée par des professionnels, déclara Mahoney. Et je ne parle pas de femmes de ménage.

Si le luminol met en évidence les traces de sang, il réagit également à certains désinfectants utilisés pour faire disparaître le sang. C'était le cas ici. La pièce entière semblait avoir été javellisée.

Cela avait tout l'air d'une scène de crime.

50

Une heure et demie plus tard, nouveau rebondissement.

J'étais encore sur place quand des voix s'élevèrent dans le séjour de l'appartement. Intrigués, Ned et moi allâmes voir ce qui se passait. Plusieurs techniciens s'étaient regroupés autour d'un barbu perché sur un escabeau, près de la porte. Il avait retiré le cache d'un détecteur de fumée sur lequel tous les regards étaient braqués.

De la pointe de son stylo, il désigna un petit bout de plastique d'apparence inoffensive logé entre les fils.

— Je parie que c'est une caméra. Très sophistiquée.

Mes petits camarades du FBI n'avaient pas perdu de temps.

Ned ordonna immédiatement une seconde inspection des deux bâtiments. Chacun éteignit son téléphone et tous les téléviseurs et ordinateurs furent débranchés, pour éviter toute interférence avec les détecteurs de fréquences radio.

Tout alla très vite. Quatre-vingt-dix minutes plus tard, tout le monde ou presque se retrouva dans le hall d'entrée de la maison principale pour un briefing. J'aperçus quelques visages familiers, dont celui de Luke Hamel, le directeur adjoint, et celui de Elaine Kwan, du département des sciences du comportement, dont j'avais moi-même jadis fait partie.

Devant une telle force de frappe, je m'étonnais que l'enquête n'ait pas encore été classée ultra-prioritaire.

L'agent spécial responsable de l'ERT était Shoanna Spears, une grande et solide plante qui s'exprimait avec un fort accent bostonien. Un minuscule lierre tatoué sur son épaule dépassait de son col blanc. Elle s'adressa au groupe du haut du grand escalier.

— Il y a des caméras quasiment partout. Nous en avons trouvé dans chaque pièce, y compris les salles de bains et les dépendances.

Hamel posa la question qui trottait dans toutes les têtes.

— Comment savoir ce que toutes ces caméras ont enregistré ?

— Il m'est difficile de vous répondre. Ce sont des appareils sans-fil capables d'émettre dans un rayon de plusieurs centaines de mètres. Nous avons trouvé un disque dur au deuxième étage, ainsi que tous les logiciels du système, mais aucun dossier archivé. Ce qui signifie que les images étaient visionnées en temps réel ou, plus probablement, que quelqu'un a emporté les enregistrements.

— Que devons-nous rechercher ? demanda Mahoney du fond du hall. Des disques ? Un ordinateur portable ? Des mails ?

L'agent Spears acquiesça.

— Poursuivez. Ce sont des fichiers de format courant, qui peuvent être stockés sur n'importe quel support.

Un soupir de découragement parcourut l'auditoire. Heureusement, une bonne nouvelle nous attendait.

— Sachez tout de même, poursuivit Spears, que nous avons découvert quelques empreintes sur l'ordinateur. À l'heure qu'il est, nous sommes en train de les comparer avec la base de données IAFIS.

51

— Je ne comprends rien à toute cette histoire, Tony. Pourquoi ne me dis-tu pas, au moins, où nous allons ? Est-ce trop te demander ?

Pour tout dire – et cette vérité ne lui était apparue que le jour même –, Nicholson n'avait pas le cran de passer à l'acte. Un meurtre de sang-froid, non. En tout cas, pas de sa propre main. Il s'était toujours dit que, si nécessaire, il pouvait facilement étouffer Charlotte avec un coussin ou mettre quelque chose dans son café du matin. Douces illusions. Et aujourd'hui, il était trop tard pour la faire supprimer par quelqu'un d'autre, alors que c'eût été facile...

Il jeta quelques dernières bricoles dans son sac de voyage pendant que Charlotte, de l'autre côté du lit, insistait lourdement. Le sac Vuitton qu'il lui avait apporté était toujours vide, et il commençait à perdre patience. Il aurait tant voulu lui envoyer son poing dans la figure, mais à quoi bon ?

— Chérie, dit-il en manquant de s'étrangler quand le mot franchit ses lèvres, je te demande juste de me faire confiance. On a un avion à prendre. Je t'expliquerai tout une fois qu'on sera partis. Maintenant, prends deux, trois affaires et on y va. Il faut qu'on parte !

Avant que je ne m'énerve et ne t'étrangle à mains nues.

— Ça a un rapport avec les hommes de l'autre soir, hein ? Je me disais bien qu'ils avaient l'air louches. Tu dois de l'argent à quelqu'un, c'est ça ?

— Charlotte, tu m'écoutes, ou pas ? Il ne faut pas qu'on reste ici, c'est dangereux. Pour nous deux. Le mieux qu'on puisse espérer, à partir de maintenant, c'est la taule. Le mieux, tu as compris ? Ça ne va qu'empirer.

Tout dépend de qui nous tombera dessus en premier, faillit-il ajouter.

— On ? Comment ça, on ? Je n'ai rien fait à personne, moi.

Nicholson fit le tour du lit, prit une brassée de vêtements dans l'armoire de Charlotte et la fourra dans le sac sans même enlever les cintres.

Puis il prit également le coffret à bijoux en cuir rouge qu'il lui avait acheté à Florence, dans une autre vie, quand il était jeune, amoureux, con et en rut.

— On s'en va. Tout de suite.

Elle le suivit tant bien que mal, car elle avait surtout peur d'être seule et il le savait. Moyennant quoi ils réussirent à atteindre le hall d'entrée avant que Charlotte ne se liquéfie. Il perçut quelque chose qui n'était ni tout à fait un cri, ni tout à fait un gémissement, et se retourna. Elle était à moitié accroupie sur le sol d'ardoise, le visage strié de traces noires, à cause des larmes et du maquillage. Elle en mettait toujours une tonne, comme une pute. Et il s'y connaissait, en putes.

— J'ai tellement peur, Tony. Tu ne vois pas comme je tremble ? Comment se fait-il que tu ne voies jamais rien en dehors de tes propres besoins ?

Nicholson ouvrit la bouche pour formuler une réponse neutre et apaisante, mais il s'entendit rétorquer :

— Tu sais que tu es vraiment trop conne ?

Il lâcha son sac et la prit par le bras, sans ménagement, quitte à lui déboîter le coude. Charlotte se débattit en hurlant littéralement tandis qu'il la traînait par terre. Il suffisait qu'il réussisse à la mettre dans la voiture. Après, elle pouvait faire une rupture d'anévrisme si ça lui chantait. Il s'en foutait pas mal, aujourd'hui, de sa femme, cette dinde, cette idiote qui ne voulait jamais rien savoir.

C'est alors que le premier coup ébranla la porte.

Quelque chose, et non quelqu'un, avait frappé avec une force telle qu'au milieu le vantail était fendu en zigzags sur plusieurs dizaines de centimètres. Il jeta un coup d'œil par la fenêtre, le temps de comprendre qu'il s'agissait d'un bélier. Et qu'il était sans doute trop tard, même pour lui.

Le second coup, d'une violence inouïe, fit sauter serrure et verrou comme si ce n'étaient que des jouets d'enfant, et la porte parut exploser.

52

— Sauve-toi.

Ce fut le seul conseil que Tony Nicholson donna à son épouse avant de lui lâcher le bras pour filer vers la porte de derrière. À présent, il ne s'agissait plus que de survie, et seul le plus agile des deux pourrait y prétendre.

Il parvint à courir jusqu'à la cuisine et tomba sur un petit Latino à l'air costaud, arrivé de l'autre côté. Qui était ce type ?

Nicholson entrevit un geste, puis entendit un atroce craquement à la hauteur de son genou, sur le côté. Il s'écroula en pensant à la clé à pipe dans la main du Latino.

Au début, il n'y eut que cette énorme boule de douleur embrasant toute sa jambe.

Puis vinrent les menottes, qui lui entaillèrent les poignets avant même qu'il ne comprenne ce qui lui arrivait.

Des menottes ?

Ensuite, l'intrus le traîna par le col jusqu'au séjour et le lâcha au beau milieu du tapis.

Charlotte, assise sur l'un des fauteuils Barcelona, avait un morceau d'adhésif argenté sur la bouche.

Derrière elle, un deuxième homme – n'étaient-ils que deux ? – regardait Nicholson d'un œil à peine curieux, presque blasé, comme s'il faisait ce genre de choses tous les jours.

De toute évidence, ces types-là n'étaient ni du FBI ni de la police. Et ils n'avaient rien à voir avec les deux affreux de la semaine dernière. Ils portaient des costumes sombres, des cagoules noires repliées sur le crâne, des gants en latex.

Ce n'étaient pas vraiment des flics, mais presque. D'anciens flics ? Des anciens des Forces spéciales ?

Celui qui l'avait attaqué avait le nez épaté, des yeux noirs. Il contemplait Nicholson comme s'il n'était qu'un moins que rien.

Et se borna à dire :

— Le disque ?

— Le disque ? répéta Nicholson, mâchoires crispées. De quoi parlez-vous ? Qui êtes-vous, tous les deux ?

— Deux. J'aime bien ce chiffre-là.

Il regarda sa montre en acier.

— On te laisse environ deux minutes.

— Deux minutes, ou quoi ? fit Nicholson, avant de saisir.

L'autre, le grand, sortit un sac en plastique transparent, qu'il glissa sur la tête de Charlotte. Celle-ci tenta de se débattre, en vain. Il n'eut aucune difficulté à sceller le sac autour de son cou en quelques tours de rouleau d'adhésif.

Lorsque Charlotte comprit ce qui lui arrivait, son expression changea. Nicholson ne put s'empêcher d'avoir un pincement au cœur. Était-ce de la pitié, voire le lointain écho d'un amour perdu ? Une émotion, en tout cas, quelque chose d'humain. Pour la première fois depuis bien longtemps, il ressentait une affinité avec Charlotte.

— Vous êtes complètement fous ! Vous ne pouvez pas faire une chose pareille !

— C'est toi, le responsable, répondit l'homme qui détenait sa femme. C'est toi qui as les cartes en main, pas nous. Tout dépend de toi. Ne nous oblige pas à faire ça.

— Mais je ne pige même pas ce que vous voulez. Dites-moi ce que c'est !

Il voulut se précipiter vers Charlotte, mais son genou blessé se déroba sous lui et il se retrouva coincé, comme un idiot, entre le canapé et la table basse.

— Je vous en supplie, dites-moi ce que vous voulez ! Je n'y comprends rien !

Il hurlait littéralement, avec toute la conviction possible. L'interprétation se devait d'être grandiose.

Lorsqu'il parvint enfin à se hisser sur le canapé, Charlotte ne bougeait plus.

Ses yeux bleus étaient grands ouverts et sa tête ballottait contre son épaule, telle une marionnette attendant qu'on la soulève. Avec le sac en plastique, la scène touchait au grotesque et il eut l'impression qu'elle lui dictait sa réplique.

— Salauds ! Putains de salauds, vous l'avez tuée ! Vous me croyez, maintenant ? Vous aviez vraiment besoin de la tuer ?

Les deux types, toujours aussi calmes, échangèrent un regard et un haussement d'épaules.

— On devrait y aller, dit le Blanc.

Son complice hocha la tête et, l'espace d'une seconde, Nicholson pensa avoir réussi son coup. Ce « on » signifiait peut-être « nous deux ». Hélas, non. L'un souleva Charlotte, l'autre entraîna Nicholson.

Contraint de sautiller jusqu'à la porte – puis Dieu savait où – sur sa jambe valide, Nicholson eut une pensée des plus étranges. Il regretta d'avoir été aussi dur avec Charlotte.

53

J'étais sur l'autoroute avec Ned Mahoney. J'avais pris ma voiture, et nous foncions en direction d'Alexandria quand on nous signala que nous arrivions trop tard. La police d'État de Virginie n'avait trouvé personne chez Nicholson. Il y avait des traces d'effraction et de lutte, deux valises prêtes, et les deux voitures du couple étaient toujours dans le garage.

Un avis avait été transmis à toutes les polices, mais comme nous ignorions quel véhicule rechercher, nous n'en attendions pas grand-chose.

Tout le monde se rejoindrait néanmoins chez Nicholson, comme prévu. Hamel, le directeur adjoint, était en train d'appeler une seconde équipe technique pour passer la maison au peigne fin. Et Mahoney téléphona au siège du FBI pour demander qu'on lui transmette immédiatement le dossier complet de Nicholson.

Il avait emporté un Toughbook, son ordinateur de service, ce qui lui permettait de partager les infos. Et il commença à me communiquer les renseignements obtenus, à toute vitesse. Une habitude, chez lui, quand il est remonté à bloc.

— Alors, notre homme n'a jamais été arrêté, n'a jamais été naturalisé, n'a jamais été fonctionnaire, ni militaire. Rien de très surprenant. On ne lui connaît pas de noms d'emprunt. Et il n'apparaît dans aucun fichier du FBI, que ce soit sous Tony ou Anthony Nicholson.

— Je ne pense pas qu'il s'agisse de notre tueur.

Mahoney s'interrompit.

— Pourquoi ?

— Il y a trop d'éléments qui nous échappent encore, dans cette affaire. Nicholson en est un, de toute évidence, mais il n'est qu'un protagoniste parmi d'autres, Ned. C'est comme dans la vieille parabole des cinq aveugles et de l'éléphant.

— Et Nicholson serait quoi ? Le trou du cul ?

Sacré Mahoney. Toujours prêt à dégainer, surtout sous pression.

— Je pense que certaines personnes cherchent la même chose que nous et qu'elles ont déjà mis la main sur lui. Autrement dit, on est sur le même puzzle, mais elles ont quelques pièces d'avance.

— Ou alors, suggéra Mahoney, le doigt en l'air, il a mis en scène sa propre disparition. Rien de bien compliqué. Il sort quelques valises, il esquinte le mobilier et il a déjà survolé la moitié de l'Atlantique avec sa petite collection de porno gore pendant qu'on est encore en train de relever les empreintes dans sa baraque.

Nous continuâmes à échanger des hypothèses jusqu'à ce que le téléphone se remette à sonner. Ned raccrocha, tout excité, et tapa une adresse sur le clavier de son ordinateur.

Quelques secondes plus tard, nous suivions le GPS sur la rocade, en direction d'Alexandria – mais pas vers la maison de Nicholson.

— Résidence Avalon, m'expliqua Mahoney. Nicholson apparaît dans un fichier de locataires. Il doit avoir un loyer de retard, ou quelque chose dans le genre.

— Il loue un appart ? Dans la ville où il est domicilié ?

Mahoney opina.

— Avec sa femme. Qui, j'en suis sûr, a au moins quinze ans de plus que la personne que nous allons trouver à cette seconde adresse. On parie quoi, vingt dollars ?

— On ne parie rien du tout.

54

Sur la banquette arrière, Tony Nicholson se pencha autant que les menottes le lui permettaient. Il y avait de la lumière au premier étage.

— On n'a pas besoin d'être ici. Elle ne sait rien. Je vous le jure.

Le type qui lui avait bousillé le genou ouvrit la portière passager.

— Qui sait ? Tu parles peut-être en dormant.

Il descendit, se dirigea vers la porte et se servit des clés de Nicholson pour entrer.

Nicholson était en train de se dire qu'il avait peut-être encore une chance de s'en sortir et de sauver Mara, éventuellement. Il imaginait son beau visage prisonnier d'un sac en plastique. Vision d'épouvante.

Le type au volant était grand et blond, comme lui. Des yeux pâles, le front rectangulaire. Il avait l'air plus intelligent que le Latino. Peut-être était-il également plus raisonnable.

— Écoutez, chuchota Nicholson, je sais ce que vous cherchez. Je peux vous aider à l'obtenir, mais à condition que vous me laissiez une porte de sortie.

L'autre, impassible, regardait devant lui en faisant mine de n'avoir rien entendu.

— Je suis prêt à conclure un marché, voilà ce que je veux dire.

Toujours pas de réaction.

— Pour le disque. De Zeus. Vous m'entendez ? Je vous dirai où il est.

— Ouais, finit par lâcher le blond. Tu nous le diras.

— Dans ce cas... pourquoi ne pas nous mettre d'accord ? Là, maintenant ? Pourquoi ?

Les doigts du type tambourinèrent sur le volant.

— Parce qu'on vous tuera de toute façon. Toi et la fille.

Nicholson sentit une pulsation sourde ébranler sa poitrine, et ce fut comme si plus rien n'avait d'importance. Il se mit à rire, d'un rire vaguement désespéré.

— Hé, l'ami, je ne vais pas vous apprendre votre métier, mais pourquoi voudriez-vous que je...

Brusquement, l'homme se retourna et pressa le genou mutilé de Nicholson, à l'endroit le plus mou.

Foudroyé par la douleur, Nicholson ouvrit la bouche alors même que sa gorge se serrait. Incapable de respirer, encore moins de hurler, il n'eut aucune peine à discerner, dans un étrange silence, le murmure de son tortionnaire.

— Parce qu'arrivera un moment, l'ami, où tu cesseras d'avoir envie de vivre et où tu commenceras à avoir envie de mourir. Tu saisis ? Et là, si ce n'est pas encore fait, je te garantis que tu nous diras tout ce qu'on veut savoir.

55

La portière s'ouvrit et la blonde Mara glissa ses fines hanches à l'intérieur de la voiture tandis que le type la forçait à baisser la tête. Nicholson le vit passer un calibre .45 dans sa ceinture avant de refermer la portière.

Sa petite amie avait l'air terrorisée, ce qui était compréhensible, d'autant qu'elle n'avait que vingt-trois ans. Elle avait les mains devant elle, sous un pull, pour qu'on ne voie pas les menottes. Le pull en cachemire qu'il lui avait offert. Acheté à la boutique Ralph Lauren d'Alexandria, à la belle époque.

— Ça va ?

— Que se passe-t-il, Tony ? Il m'a dit qu'il était de la police, il m'a montré sa plaque. C'est vrai ?

— Ne dis rien, répondit calmement Nicholson.

Il avait l'impression que sa jambe blessée allait exploser. Il n'avait plus les idées très claires, et la présence de Mara ne faisait qu'aggraver la situation. Pas qu'un peu, d'ailleurs. Il était amoureux d'elle.

Elle était tout le contraire de Charlotte. D'une part, elle en savait trop. D'autre part, c'était une New-Yorkaise qui avait du sang irlandais et italien. Se taire n'était pas vraiment dans la nature de la plupart des New-Yorkais.

— Que veulent-ils ? insista-t-elle. Où nous emmènent-ils ? Tony, réponds-moi.

— C'est une excellente question, dit Nicholson.

Il donna un coup de pied dans le dos du siège.

— Et on va où, comme ça ?

Cela lui valut un coup de crosse dans la pommette. Il sentit la douleur, mais c'était désormais sans importance. En fait, il fallait voir le bon côté des choses : s'il avait mal, c'est qu'il était encore vivant...

Sans perdre de temps, Mara avait décidé de s'adresser à ses ravisseurs.

— Je ne sais pas de quoi il s'agit, mais je ne travaille plus pour lui. Il faut que vous me croyiez. Je vous dirai tout ce que vous voulez. C'est moi qui tenais les comptes.

— Ferme-la, Mara, lui dit Nicholson. De toute façon, ça ne servira à rien.

— Il faisait chanter des gens. Des gens importants. Moyennant rançon. Il les enregistrait et...

Il se coucha contre elle, faute de pouvoir faire davantage.

— Mara, je te préviens.

— Sinon quoi, Tony ? Il est un peu tard pour me prévenir, tu ne crois pas ? Je ne devrais même pas être ici.

Ses yeux marron luisaient de peur et de colère. Il ressentait la même chose et, d'une certaine manière, il la comprenait.

Et elle ne s'arrêtait pas.

— Je vous parle de grosses pointures. Des riches, des hommes politiques, des financiers, des avocats, vous voyez le genre...

— Ouais, ouais, l'interrompit le type. Raconte-nous plutôt quelque chose qu'on ne sache pas déjà. Sinon, comme dit le monsieur, ferme-la, Mara.

56

Mahoney signala notre position quand, toujours guidé par le GPS, nous sortîmes de l'autoroute pour prendre Eisenhower Avenue. Il commençait à faire nuit, mais tous les axes étaient encore saturés. Les banlieusards n'en finissaient plus de rentrer chez eux. À quand remontait l'époque où les gens quittaient le boulot à 17 heures ?

Quelques kilomètres plus loin, nous aperçûmes un lotissement bordé de maisons de trois étages, toutes identiques.

À l'entrée, une grande enseigne, « Avalon at Cameron Court », souhaitait la bienvenue aux visiteurs.

Les petites rues, à l'intérieur, formaient un véritable labyrinthe, dans lequel nous n'aurions pu trouver notre chemin sans le GPS. C'était l'un des ces « villages » très haut de gamme disposant d'une multitude d'équipements. Selon Mahoney et son ordinateur, les loyers mensuels pouvaient y atteindre trente-cinq mille dollars.

— Tu sais, ma tante vit dans un parc de ce genre, à Vero Beach, en Floride. Il y est interdit d'avoir plus de deux animaux domestiques. Elle, elle a quatre chiens tous pareils, alors elle en sort d'abord deux, puis elle sort les deux autres.

Je l'écoutais à moitié. Nous étions presque arrivés.

— Hé, Ned, regarde !

Une berline bleu nuit sortait d'une allée, à une cinquantaine de mètres.

— C'est l'adresse de Nicholson ?

Mahoney se redressa et referma son ordinateur.

— Ça se pourrait. On va bien voir.

La voiture remontait la rue dans notre direction. Plaques de Washington. Deux hommes à l'avant, deux personnes à l'arrière, difficiles à distinguer.

Et au passage du véhicule, mon regard croisa celui de Tony Nicholson.

57

Dès que j'eus déclenché ma sirène, la berline tourna brutalement à droite et accéléra. J'ignorais si ces types étaient des mafieux, des tueurs professionnels ou que sais-je encore, mais visiblement, Nicholson et sa petite copine avaient de gros ennuis.

Ned était déjà au téléphone.

— C'est Mahoney. J'ai la cible en vue. Nicholson. On poursuit une Pontiac G6 bleue, immatriculée à Washington.

Un autre virage, et j'aperçus la voiture à l'arrêt, à la sortie du parc.

Ned serra le poing en signe de victoire.

— Avantage pour nous !

Ils étaient bloqués par le flot de la circulation sur Eisenhower et, l'espace d'un instant, je crus naïvement que nous allions pouvoir les interpeller en douceur.

Puis les portières s'ouvrirent et les deux hommes jaillirent de la Pontiac en mitraillant.

Une balle transperça mon pare-brise avec un bruit sourd avant que nous n'ayons eu le temps de nous éjecter. J'ouvris ma portière et roulai au sol. Ned sortit du même côté et se plaqua à terre.

D'où j'étais, dans le caniveau, j'apercevais uniquement le conducteur de la Pontiac. Je lui trouvais l'air d'un militaire. Grand, blond, les cheveux courts. Il tirait toujours.

Je n'osai pas riposter.

Il y avait trop de voitures roulant au pas, derrière lui. Impossible de tirer sans risquer de blesser quelqu'un. Il avait dû s'en rendre compte, car il se mit à courir vers le bâtiment le plus proche.

Quand il dépassa le grand panneau « Avalon », je fis feu à deux reprises, en ajustant bien mon tir. Je sentis les douilles rebondir sur mon épaule. Ma deuxième balle fit mouche.

Ce n'était pas fini, loin de là. Mahoney, debout, avait commencé à vider son chargeur. Je vis l'autre individu se relever, dans la rue, le pantalon troué d'une tache sombre, et tenter de fuir en clopinant.

— Lâche ton arme ! cria Mahoney.

Alors que je me rapprochais pour bénéficier d'un autre angle de tir, il braqua un calibre .45 sur Ned.

Nous fûmes plus rapides. Il tressauta deux fois sous les impacts et réussit malgré tout à tirer encore une fois. La balle rasa l'épaule de Mahoney, qui se coucha et contre-attaqua. Il toucha le type à l'épaule.

Il vivait encore quand nous le rejoignîmes. Les yeux écarquillés, le corps agité de secousses, il avait encore le doigt sur la détente. Ned mit le pied sur son poignet et retira l'arme de sa main.

— Accroche-toi, dis-je. L'ambulance arrive.

Il était salement amoché. Touché notamment au ventre, il pissait le sang. Tandis que Mahoney courait récupérer Nicholson et la jeune femme, j'enlevai ma veste pour en faire une compresse.

— Pour qui travailles-tu ?

Je ne savais même pas s'il m'entendait. Il ne semblait pas avoir peur, mais ses yeux étaient grands comme des soucoupes. Quand il voulut déglutir, des bulles de sang s'échappèrent de sa bouche. Ma veste était déjà trempée.

Je finis par hurler :

— Parle ! Qui t'a envoyé ici ?

Il eut un hoquet et me serra violemment le bras, avant de s'affaler. Il était mort sans avoir prononcé le moindre mot susceptible de nous éclairer.

58

De deux morts, on passa à trois avec la découverte du corps encore chaud de Charlotte Nicholson dans le coffre de la Pontiac. La victime avait le visage bleu.

Tony Nicholson et sa maîtresse présumée, Mara Kelly, se bornèrent à répéter qu'ils n'avaient rien fait de mal et ignoraient tout de l'identité des deux hommes que nous avions abattus. Quand le FBI les embarqua, nous n'avions pas avancé d'un pouce.

Il y avait maintenant du monde sur place. Les trois voitures dépêchées par le Bureau, la police d'Alexandria, les secours, les services du shérif local. Il fallait que j'appelle Bree pour m'assurer que tout allait bien à la maison.

Je me rendis compte que mon téléphone était éteint depuis des heures, depuis que j'avais rejoint Mahoney au club privé de Culpeper. Trois messages m'attendaient, tous de Bree.

Angoisse.

Premier message : « Salut, c'est moi. Écoute, Nana a un problème d'insuffisance rénale qui inquiète les médecins. D'après eux, son taux de créatinine est anormalement élevé. Ils n'ont pas encore établi de pronostic, mais tu devrais me passer un coup de fil. Je t'embrasse. »

Je me dirigeai vers la voiture en redoutant la suite.

« Alex, c'est encore Bree. J'ai essayé de te joindre au FBI, mais personne ne sait où tu es, apparemment.

Je ne peux pas appeler Ned, je n'ai pas son numéro de portable. Je ne sais pas trop quoi faire. Nana ne va pas bien. J'espère que tu auras mon message rapidement. »

J'étais déjà en train de courir, mais le dernier message me figea presque sur place.

« Alex, où es-tu ? Désolée de t'apprendre ça *via* ta messagerie, mais... Nana est dans le coma. Je retourne la voir, donc tu ne pourras plus me joindre. Viens aussi vite que tu peux. »

59

La réception organisée ce soir-là au One Observatory Circle était relativement informelle. Il s'agissait, en effet, d'une « soirée crabes » à laquelle avaient été conviés plusieurs membres du personnel et leurs familles. Ce qui voulait dire des vestes, mais pas de cravates, et lorsque le vice-président décida de se mettre en bras de chemise juste avant le dîner, tous les invités de sexe masculin l'imitèrent.

L'agent Cormorant, lui, conserva sa veste, taillée spécialement pour dissimuler le pistolet Sig Sauer .357 qu'il portait sous l'aisselle droite. Le niveau de menace de la soirée était indubitablement faible, mais – c'était dans ses gènes professionnels – Cormorant ne laissait jamais rien au hasard, surtout en ce moment.

Le Secret Service assurait la protection de la vaste résidence victorienne depuis 1972. Les Rockefeller n'y avaient jamais emménagé, mais les Mondale, les Bush, les Quayle, les Gore et les Cheney l'avaient occupée, avant les Tillman. Cormorant en connaissait les moindres recoins, alors qu'il n'aurait pas pu en dire autant de son trois-pièces de M Street.

Aussi, lorsqu'il voulut s'entretenir en privé avec le vice-président, dans la bibliothèque, il passa tout naturellement par l'un des petits salons, ce qui lui épargnait de se faire remarquer.

Tillman se servit un whisksy sur glace et attendit près de la cheminée que Cormorant referme et verrouille les portes aux deux extrémités de la pièce.

— Alors, Dan, qu'aviez-vous de si urgent à me dire ?

— Il faut que je vous prévienne, monsieur le vice-président. Ce que je m'apprête à vous proposer n'est pas du tout légal.

Tillman but une petite gorgée.

— Voilà qui est nouveau. Je parle de votre mise en garde.

Les deux hommes étaient amis, autant qu'on pouvait l'être à ces postes-là. Un jour, ils iraient à la pêche ou passeraient des vacances ensemble, mais pour l'instant, c'était « monsieur le vice-président » et « agent Cormorant ». Le protégé et son protecteur.

— Monsieur, je pense qu'il serait temps d'informer la Présidente du problème Zeus. Et notamment du fait qu'une personne ayant un lien avec la Maison-

Blanche ou le cabinet des conseillers pourrait être un assassin.

Le visage de Tillman se durcit instantanément. Le vice-président posa son verre.

— Cela, la Présidente le sait. C'est moi qui le lui ai dit. Il nous faut des preuves. Il nous faut un nom.

Tillman était au courant de la descente du FBI en Virginie, mais pas des derniers développements de l'enquête. Cormorant lui résuma rapidement la situation, en faisant état des caméras découvertes à l'intérieur du club privé.

— Il n'est pas spécifiquement question d'un Zeus pour l'instant, mais si on met au jour des enregistrements, son pseudo importera peu.

— Ça remonte à quand ? voulut savoir Tillman, visiblement ébranlé.

— À aujourd'hui. Cet après-midi.

— Et comment se fait-il que vous ayez déjà l'info ?

Cormorant s'en tint à un silence qu'il espérait ostensiblement respectueux, sans cesser de regarder le vice-président.

— D'accord, fit Tillman. C'est sans importance. Poursuivez, je vous en prie. Excusez-moi de vous avoir interrompu.

— En fait, le procureur général, lui, pourrait faire quelque chose. S'il avait un prétexte crédible pour bloquer l'enquête, ou même simplement la freiner…

Tillman parut irrité, mais avec lui, on ne savait jamais.

— Attendez un instant. Vous voulez que la Présidente fasse pression sur le procureur ? Vous rendez-vous compte de ce que vous suggérez ? Un conseiller de la Maison-Blanche est peut-être impliqué dans cette affaire.

— Peu importe ce que je veux, monsieur le vice-président. Il n'est question, depuis le début, que de protéger la présidente Vance et le gouvernement.

Des rires éclatèrent derrière la porte donnant sur le hall d'entrée. Cormorant, imperturbable, baissa légèrement le ton.

— Je ne parle pas d'essayer d'enterrer le scandale. J'ai juste besoin d'un peu de latitude pour voir si on peut démasquer ce Zeus. Si j'y parviens, la Maison-Blanche sera en bien meilleure position pour gérer l'info quand elle circulera, et croyez-moi, monsieur le vice-président, elle circulera, d'une manière ou d'une autre, tôt ou tard.

— Qu'en pense Reese ? Vous lui avez demandé ? Est-il au courant, pour les caméras ?

— J'ai briefé le chef de cabinet cet après-midi, mais il n'a jamais été envisagé de tout fournir à la Présidente. Je voulais d'abord m'entretenir avec vous.

— N'essayez pas de nous diviser, Dan. Et n'essayez pas de nous diviser, Mme Vance et moi. La Présidente peut compter sur ma loyauté.

— Je n'essaie pas, monsieur...

— Non. Très bien. Alors, voici ce que nous allons faire. (Tillman avait l'art de passer des questions aux décisions sans transition.) Discutez-en avec Gabe, donnez-lui votre opinion et, s'il veut revenir vers moi, on partira de là. Sinon, vous et moi n'avons jamais eu cette conversation.

Le vice-président se dirigeait déjà vers la porte quand, pour la première fois, Cormorant éleva la voix.

— Walter !

C'était le genre d'entorse au protocole qui, dans la plupart des cas, aurait pu renvoyer un agent dans les tréfonds de la hiérarchie.

— Je peux le trouver. Zeus. Il faut juste me laisser un peu de temps.

Tillman s'arrêta et, sans se retourner, se contenta de répéter :

— Voyez ça avec Gabe.

Il quitta la bibliothèque. N'ayant pas le choix, l'agent Cormorant lui emboîta le pas.

L'entretien était terminé et, dans le grand salon, le crabe allait être froid.

60

Une fois sur le parking de l'hôpital, après avoir franchi le Potomac et traversé une partie de la ville, j'éteignis enfin ma sirène. Les messages de Bree résonnaient dans ma tête. Comment était-ce possible ? Le matin même, Nana s'était relevée, elle m'avait parlé, elle allait mieux.

Le premier visage que je reconnus en sortant de l'ascenseur, au quatrième, fut celui de Jannie. Assise sur le rebord d'un fauteuil en plastique moulé, devant le service des soins intensifs, elle courut se blottir dans mes bras dès qu'elle m'aperçut.

— Nana est dans le coma, papa. Ils ne savent pas si elle va se réveiller ou pas.

— Chhh. Je sais, je sais. Je suis là, maintenant.

Elle lâcha prise et commença à pleurer. Elle était si forte et si fragile à la fois. Tout comme Nana.

— Tu l'as vue ?

Je la sentis hocher la tête.

— Juste une minute. L'infirmière m'a dit que je devais attendre ici.

Je saisis sa main.

— Viens. Je crois que je vais avoir besoin de toi.

Bree était assise à côté du lit. Elle se leva de sa chaise, celle sur laquelle j'avais déjà passé une nuit, et nous prit dans ses bras.

— Je suis contente de te voir, me dit-elle en chuchotant.

— Que s'est-il passé ?

Je chuchotais aussi, comme si Nana risquait de nous entendre.

— Ses reins ne répondent plus. On l'a mise sous dialyse et elle reprend de l'hydralazine et des bêta-bloquants...

J'entendais et comprenais à peine ce qu'elle me disait. J'avais les jambes en coton, et la tête qui tournait.

Jamais je n'aurais imaginé voir Nana dans un tel état.

Elle était de nouveau sous ventilation, mais cette fois les médecins avaient eu recours à une trachéotomie. Une sonde l'alimentait par le nez, et on lui avait posé un cathéter de dialyse. Mais le pire, c'était son visage, tendu, crispé, comme si elle souffrait, alors que je m'attendais à la voir paisiblement endormie.

Je m'assis au bord du lit.

— C'est Alex. Je suis là, maintenant. C'est Alex, ma bonne vieille.

J'avais l'impression qu'une épaisse paroi de verre nous séparait. Je pouvais lui parler, la toucher, la voir, mais il n'y avait pas de contact entre nous. Jamais je n'avais éprouvé un tel sentiment d'impuissance. Et j'entrevoyais la suite, ce qui était tout aussi terrible.

Moi qui, en général, suis plutôt efficace en situation de crise – c'est mon métier, après tout –, je me décomposais. Quand Jannie me rejoignit, je ne fis même pas l'effort de chercher à dissimuler mes pleurs.

Le drame que vivait Nana, nous le vivions tous.

Quand une larme coula sur sa joue, tout le monde s'écria en même temps :

— Nana !

Elle ne répondit pas, ne fit même pas mine d'ouvrir les yeux.

Une larme, et plus rien.

61

Quand je n'étais pas en train de dormir, ou de laisser le champ libre aux infirmières venues voir si tout allait bien, je parlais à Nana. Au début, je m'en tins à d'aimables banalités : à quel point nous l'aimions, tout ce que nous faisions pour qu'elle s'en sorte, et même ce qui se passait autour d'elle.

Puis je finis par me souvenir que Nana ne s'intéressait qu'à la vérité, quelle qu'elle fût. J'entrepris donc de lui raconter ma journée, de lui parler comme nous le faisions toujours, sans nous soucier de savoir quand notre conversation prendrait fin.

— J'ai dû abattre quelqu'un, aujourd'hui, lui dis-je.

Sans doute était-ce un peu laconique, mais après avoir prononcé cette phrase à voix haute, j'attendis, tranquillement. Là, normalement, Nana aurait dû réagir.

Et elle le fit, d'une certaine manière. Un échange du même genre me revint à l'esprit.

Avait-il une famille, Alex ?

Sa première question. J'avais vingt-huit ans, à l'époque. Une petite épicerie de Southeast, un braquage. Je n'étais même pas en service au moment de l'attaque à main armée, je rentrais chez moi. Le type s'appelait Eddie Clemmons, je ne l'oublierai jamais. C'était la première fois qu'on me tirait dessus, et la première fois que je ripostais pour me défendre.

Oui, avais-je répondu, *il avait une femme, mais ils ne vivaient pas ensemble. Et deux enfants.*

Je me revois dans le hall d'entrée de la maison, avec mon manteau. Nana portait un panier de linge propre quand j'étais arrivé, et nous avions fini par nous asseoir dans l'escalier pour parler de la fusillade tout en pliant les vêtements. Au début, je trouvais bizarre qu'elle n'arrête pas de me tendre des affaires à plier, et ensuite j'ai compris qu'au bout d'un certain temps ma vie reviendrait à la normale.

Tu t'en sortiras très bien, m'avait-elle dit. *Tu ne seras peut-être plus tout à fait le même, mais tu t'en sortiras. Tu es policier.*

Elle avait raison, évidemment. Peut-être était-ce la raison pour laquelle j'avais tant besoin d'avoir cette conversation avec elle. En fait, curieusement, je voulais surtout qu'elle me dise que tout se passerait bien.

Je pris sa main, l'embrassai et la pressai contre ma joue. Une manière comme une autre d'établir un contact avec elle.

— Ça va aller, Nana.

Mais était-ce la vérité ? Et sinon, à qui étais-je en train de mentir ?

62

En me réveillant, je sentis une main me secouer l'épaule.

Quelqu'un me chuchota à l'oreille :

— C'est l'heure d'aller travailler, mon grand. Tia est là.

Ma tante Tia posa son grand sac à ouvrage à mes pieds. Je m'étais endormi une demi-douzaine de fois au cours de la nuit et j'avais perdu la notion du temps.

Étrange impression, que de me retrouver là, dans cette chambre aveugle, au chevet de Nana, si mal en point.

Son état ne semblait pas avoir évolué depuis la veille. Était-ce bon signe ou mauvais signe ? Les deux, peut-être.

— Je vais attendre le passage de l'infirmière, dis-je.

— Non, mon grand, tu vas y aller, rétorqua-t-elle en me poussant du coude pour que je libère la chaise. Il n'y a pas assez de place, ici, et Tia a très mal aux chevilles. Alors, va travailler. Après, tu pourras revenir et tout raconter à Nana, comme d'habitude.

Et de sortir son tricot en cours, avec ses grandes aiguilles en bois de toutes les couleurs, toujours les mêmes. J'aperçus également, dans le sac, un Thermos et *USA Today*. La facilité avec laquelle elle venait de s'installer me rappela qu'elle était déjà passée par là, avec mon oncle puis avec sa jeune sœur, Anna. Pour veiller les grands malades et les mourants, il n'y avait pas plus pro que ma tante.

— Je voulais t'apporter un recueil de poèmes de David Whyte.

Je crus, tout d'abord, qu'elle s'adressait à moi.

— Et puis je me suis dit : non, il faut quelque chose qui t'énerve un peu, toi qui aimes bien râler, alors je t'ai apporté le journal. Es-tu au courant pour la statue de Martin Luther King ? Ils vont la faire sculpter en Chine ! Tu te rends compte, Regina ? En Chine !

Tia n'est pas une sentimentale, mais c'est une sainte, à sa façon. Je savais aussi que jamais elle ne se laisserait aller à pleurer devant Nana, coma ou pas.

Je lui fis un bisou sur la tête, puis Nana eut droit au même sort.

— Au revoir, Tia, Nana. Je vous retrouve tout à l'heure, d'accord ?

Ma tante continua de bavarder, mais j'entendis la réponse de Nana. Un autre écho, un autre souvenir, je ne sais pas...

Sois sage, me dit-elle. *Et surtout, sois prudent, Alex.*

En fait, j'étais provisoirement à l'abri de tout risque physique puisque, au lendemain de la fusillade, on m'avait suspendu, comme le veut la procédure. Le surintendant Davies avait bien voulu réduire le délai à deux jours, mais c'était encore trop. Il fallait que j'interroge Tony Nicholson et Mara Kelly sans attendre. À ma demande, Sampson organisa donc des interrogatoires. Officiellement, je ne ferais que l'accompagner.

63

Le centre de détention d'Alexandria est une vieille bâtisse en briques au bout de Mill Road, une impasse.

C'est ici qu'a été incarcéré le terroriste Zacarias Moussaoui avant qu'on ne le condamne à passer le restant de ses jours dans la prison de très haute sécurité de Florence, dans le Colorado. Qui, au demeurant, se trouvait être le dernier domicile connu de Kyle Craig, tueur en série et pièce maîtresse d'un dossier que je n'avais pas encore réussi à clore. Lorsqu'on a, comme moi, baigné un certain temps dans l'univers des grands criminels, on s'aperçoit que c'est un petit monde étonnamment incestueux.

Il m'avait suffi de penser à Kyle pour être énervé.

Nicholson et Kelly étaient détenus respectivement au rez-de-chaussée et au premier étage. Chacun se trouvait dans une salle d'interrogatoire différente et nous prenions l'ascenseur pour faire la navette entre les deux.

Au début, ils refusèrent l'un comme l'autre de faire le moindre aveu et se bornèrent à répéter qu'ils avaient été victimes d'un enlèvement et de violences. Cela dura plusieurs heures et, loin de les contredire, je fis même en sorte que Mara Kelly sache que son petit copain tenait bon. Je voulais que sa confiance à l'égard de Nicholson soit au plus haut avant de la réduire à néant.

Puis je revins la voir avec une photocopie.

— Qu'est-ce que c'est ? demanda-t-elle quand j'eus posé la feuille sur la table.

— Vous n'avez qu'à regarder.

Elle s'inclina, arrangea une de ses mèches du bout de son ongle manucuré. Même ici, en salle d'interrogatoire, elle avait des gestes affectés. Elle se disait comptable, mais n'était pas allée au-delà de la première année de fac.

— Des billets d'avion ? Je ne comprends pas. Et pourquoi ?

Sampson se pencha au-dessus de la table. Vu son gabarit, il peut se montrer intimidant quand il le veut. Autrement dit, presque tout le temps lorsqu'il est en service.

— Un Montréal-Zurich qui a décollé hier soir. Regardez bien les billets. Vous voyez les noms ?

Son index tapota la page.

— Anthony et Charlotte Nicholson. Votre petit ami s'apprêtait à vous larguer, Mara. Pour partir avec sa femme.

Elle repoussa la photocopie.

— Ça, moi aussi, je peux le faire. J'ai un ordinateur et une imprimante couleur.

Je lui tendis mon téléphone.

— Voici le numéro de Swissair. Souhaitez-vous les appeler et confirmer votre réservation, madame Nicholson ?

Comme elle ne répondait pas, je décidai de la laisser mariner quelques minutes, seule. En réalité, elle avait raison : ces billets n'existaient pas. À notre retour, elle était mûre. Elle avait pleuré, puis essayé d'effacer ses larmes.

— Que voulez-vous savoir ? Et que me proposez-vous, en échange ?

Sampson la fixa des yeux.

— Nous ferons tout ce que nous pouvons pour vous aider.

— C'est comme ça que ça marche, Mara, opinai-je. Les premiers qui nous aident, on saura les remercier.

Je mis l'enregistreur en marche.

— Qui étaient les deux hommes dans la voiture ? Commençons par là.

— Je n'en ai aucune idée. C'était la première fois que je les voyais.

Je la croyais.

— Que voulaient-ils ? Que disaient-ils ?

Elle marqua un temps d'arrêt. Je la sentais prête à enfoncer Nicholson, mais en plusieurs étapes.

— Vous savez, je l'avais prévenu, je lui avais dit que ce genre de choses risquait d'arriver.

— De quoi parlez-vous, Mara ? lui demanda Sampson. Soyez un peu plus précise.

— Il faisait chanter des clients du club. Pour financer « notre nouvelle vie », comme il disait. C'est réussi. (Elle désigna la salle.) C'est ça, ma nouvelle vie ?

— Avez-vous des noms ? Des pseudos ? Que savez-vous des personnes qu'il faisait chanter ?

À mesure qu'elle se libérait, le ton se faisait plus amer, plus sarcastique.

— Je sais qu'il assurait toujours ses arrières. Si quelqu'un parlait, tout le monde y perdait. Et si quelque chose arrivait à Tony, je devais tout balancer. (Elle s'adossa, croisa les bras.) Enfin, voilà ce qui était prévu. Les pauvres imbéciles filmés pendant qu'ils s'envoyaient en l'air étaient prévenus.

— Et tout le monde acceptait de payer ? voulut savoir Sampson.

Elle balaya une nouvelle fois la pièce du regard, comme si elle ne parvenait toujours pas à croire ce qui lui arrivait.

— Si c'était le cas, je ne serais sûrement pas ici, en train de vous parler.

64

Tony Nicholson ne tarda pas à se mettre à table. Le club, ses activités de maître chanteur. J'avais souvent assisté à ce phénomène : des suspects qui, dès qu'ils sentent le vent tourner, se lancent dans un véritable concours de déballage. Pour l'encourager, Mara Kelly nous avait déjà détaillé les rouages du système. Comptes ouverts dans des banques clandestines en Asie, transactions sécurisées par cryptographie asymétrique, tout ce qui leur permettait de rester hors d'atteinte aussi longtemps que nécessaire.

— Pourquoi, à votre avis, l'ont-ils enlevée, elle aussi ? nous demanda-t-il à plusieurs reprises. Ne vous laissez pas avoir. Cette salope est peut-être mignonne, mais elle n'est pas aussi conne qu'elle en a l'air, loin de là.

Pour nous, ces deux-là n'étaient clairement plus ensemble. La suite promettait d'être intéressante.

Nicholson était assis depuis des heures sur une mauvaise chaise pliante, la jambe droite tendue. On lui avait posé une attelle. À en juger par les grimaces qui lui déformaient le visage, il n'allait pas tarder à réclamer des antalgiques.

— D'accord, lui dis-je. C'est un début, Tony. Maintenant, parlons des vraies raisons qui nous amènent ici.

Je sortis un dossier et commençai à étaler des photos sur la table.

— Timothy O'Neill, Katherine Tennancour, Renata Cruz, Caroline Cross.

La surprise se lut sur son visage – l'espace d'une fraction de seconde. Nicholson était capable de conserver son sang-froid dans les pires moments.

— Toutes ces personnes ont travaillé pour vous.

— C'est possible. Beaucoup de gens travaillent pour moi.

— Ce n'était pas une question. (J'indiquai la photo de Caroline.) On l'a retrouvée mutilée à un tel point qu'on ne pouvait plus la reconnaître. Cela aussi, vous l'avez enregistré, Nicholson ?

— J'ignore totalement de quoi vous parlez. Je ne vois absolument pas où vous voulez en venir. Si vous tenez vraiment à parler, essayez d'être cohérent.

— Comment est-elle morte ?

Quelque chose brilla soudain dans son regard. Il contempla la photo, puis m'observa.

— Caroline Cross, vous dites ? C'est votre nom de famille, n'est-ce pas ?

Je ne répondis pas. Un sourire narquois se dessina sur son visage.

— Pardonnez-moi, inspecteur, mais je me demande si vous êtes bien en mesure de mener cette enquête.

Je m'étais levé d'un bond, et si la table n'avait pas été rivée au sol, j'aurais été capable de la soulever pour clouer Nicholson au mur.

Sampson, plus rapide que moi, retira carrément sa chaise et l'Anglais tomba comme un poisson décroché de l'hameçon.

Il se mit à brailler.

— Ma jambe ! Putain, ma jambe ! Enfoirés ! Je vais porter plainte contre vous !

Sampson fit mine de n'avoir rien entendu.

— Vous savez qu'on applique la peine de mort en Virginie ?

— On est où, là ? À la prison d'Abou Ghraib ? Ne me touchez pas ! (Il serra les dents, martela le sol.) Je n'ai tué personne !

Je me mis à crier, moi aussi.

— Mais vous savez qui a commis ces meurtres !

— Si j'avais quoi que ce soit à vous donner, vous ne croyez pas que je l'aurais fait ? Aidez-moi à me relever, espèces d'abrutis ! Aidez-moi, merde ! Hé ! Hé !

Nous sortîmes sans dire un mot. Et en emportant les chaises, tant qu'à faire.

65

Quatre heures plus tard, prétendument pour soulager sa conscience, mais surtout pour obtenir le meilleur deal possible, Nicholson nous révéla tout ce qu'il savait et nous donna l'adresse d'unc banque de Washington. Il y louait un coffre qui, selon lui, renfermait des documents compromettants susceptibles de nous aider. J'avais des doutes, mais tant que nous progressions, j'étais prêt à faire preuve de patience.

Branle-bas de combat. Ce ne fut pas simple, mais le lendemain matin, Sampson et moi étions devant l'Exeter Bank, sur Connecticut Avenue, avec toutes les autorisations nécessaires, une clé récupérée chez Nicholson sur ses indications et deux mallettes vides pour emporter, le cas échéant, tout ce qui se révélerait intéressant.

Ce n'était pas une banque de dépôt ordinaire. Il fallait sonner pour être autorisé à entrer et le hall avait un côté « on regarde mais on ne touche pas ». Pas un dépliant, pas un formulaire de remise de chèques en vue.

À l'accueil, on nous indiqua une rangée de bureaux vitrés, sur la mezzanine. Dans son aquarium, une femme raccrocha et nous regarda monter l'escalier.

Sampson la salua en souriant et marmonna :

— J'ai l'impression d'être dans un « James Bond ». *Entrez, docteur Cross, nous vous attendions*.

La directrice de l'agence, Christine Currie, nous attendait effectivement.

Sa poignée de main était aussi froide que son sourire.

— Tout cela est un peu hors procédure, pour nous, déclara-t-elle d'un ton compassé, avec un accent anglais encore plus snob que celui de Nicholson. J'espère que cela pourra se faire discrètement. N'est-ce pas, messieurs ?

— Bien entendu, répondis-je.

Elle était pressée de nous voir repartir, et nous n'avions aucune envie de nous attarder.

Après s'être assurée de la validité de notre commission rogatoire et avoir vérifié la signature de Nicholson à l'aide de dix documents différents, elle nous conduisit à un ascenseur qui nous emmena en quelques secondes au sous-sol.

— On peut avoir un compte-chèques gratuit, chez vous ? s'enquit Sampson.

Je fis comme si je n'avais rien entendu. Chez les culs pincés, Sampson a parfois envie de faire de la provoc, mais ce qui l'énerve le plus, ce sont les crapules, les criminels et tous ceux qui les aident ou les soutiennent.

Nous nous retrouvâmes dans une petite antichambre. Il y avait un vigile armé dans le fond, près de la porte, et un employé en costume trois-pièces derrière un immense bureau. La directrice signa le registre pour nous et nous mena à la salle des coffres.

Celui de Nicholson, numéro 1665, était l'un des plus grands.

Lorsque nous eûmes l'un et l'autre ouvert la porte à l'aide de nos clés, elle sortit un grand tiroir rectangulaire qu'elle alla déposer dans l'une des alcôves réservées aux clients.

— Je vous attends dehors, prévenez-moi dès que vous aurez fini, me dit-elle d'un ton sans équivoque. *Ne traînez pas trop.*

Elle n'eut pas à patienter longtemps. Le tiroir renfermait trois douzaines de DVD dans leurs pochettes respectives, datés au feutre noir, ainsi que deux serviettes en cuir remplies de notes manuscrites, de listes, d'adresses, et des livres de comptes.

Quelques minutes plus tard, nous repartions avec notre butin.

— Dieu bénisse Tony Nicholson !

Mme Currie me regarda, imperturbable.

66

Sampson et moi n'avions plus qu'à nous cloîtrer dans mon bureau le restant de l'après-midi, chacun avec son ordinateur portable, pour regarder et cataloguer les incartades extraconjugales des riches et souvent célèbres clients de Nicholson filmés à leur insu.

Et si ces enregistrements s'avéraient étonnamment répétitifs au regard de toutes les possibilités offertes par le club, nous allions de surprise en surprise : nous reconnûmes beaucoup de notables, du genre de ceux qu'on aperçoit lors de la cérémonie d'investiture du président des États-Unis. Au premier rang.

Des clients, mais aussi des clientes. Les femmes étaient peu représentées – une pour vingt hommes, peut-être –, mais il y en avait. Parmi elles une ancienne ambassadrice américaine auprès des Nations unies.

Et je devais garder à l'esprit que chacune de ces personnes était, ne fût-ce qu'en théorie, suspecte dans une affaire de meurtres.

Restait à classer tous ces DVD, datés automatiquement lors de l'enregistrement. Nous indiquions chaque fois le nom de la personne si nous l'avions reconnue, ou laissions un papillon dans le cas contraire. Je notais également l'endroit où chaque scène avait été filmée.

Je m'intéressais principalement à l'appartement situé dans la remise, car j'avais désormais le sentiment que c'était le point de départ de notre mystérieuse affaire.

Et là, l'enquête s'accéléra. Alors que je commençais à avoir horriblement mal aux yeux, un détail alerta mon attention.

— John, fais-moi voir ce que tu as pour l'instant. Je voudrais vérifier quelque chose.

Toutes nos notes étaient manuscrites. Je les étalai les unes à côté des autres afin de les examiner.

— Là... là... là...

J'encerclai au stylo rouge la date de tous les enregistrements de l'appartement, puis contemplai le résultat.

— Tu vois ? Le studio du fond était régulièrement utilisé et, il y a environ six mois, ça s'est arrêté net. Plus de petites fêtes.

— Et que s'est-il passé il y a six mois ? demanda Sampson, pour la forme.

Car nous connaissions tous deux la réponse.

C'était l'époque des premiers meurtres.

Et dans ce cas, où se trouvaient les autres DVD de Nicholson ?

67

En quittant le bureau, je fis un saut chez un petit thaï de la Septième Avenue pour ravitailler Bree à l'hôpital. Sans doute méritait-elle mieux, mais par rapport au bœuf braisé et aux desserts chimiques de la cafétéria, ce serait un vrai festin.

Elle avait, en quelque sorte, installé son petit bureau mobile sur la tablette. Ordinateur portable, mini-imprimante, des feuilles partout. L'écran affichait un site de conseils médicaux, et elle était en train de prendre des notes.

— J'ai une commande de curry *panang* et de *pad thaï*. C'est pour qui ?

— Pour moi, sûrement.

Elle louvoya jusqu'au seuil de la porte et m'embrassa en signe de bienvenue.

— Comment va notre miss ?

— Elle se bat. Elle est vraiment incroyable.

Nana me paraissait un peu plus apaisée, mais sinon, rien n'avait vraiment changé. Le Dr Englefield nous avait déjà recommandé de ne pas accorder trop d'importance aux petits détails. On pouvait devenir fous à force de vouloir guetter le moindre mouvement, alors que ce qui comptait, c'était d'être présents le plus souvent possible et de ne jamais perdre espoir.

Tandis que je déballais mes achats, Bree me résuma la journée. Le médecin souhaitait laisser Nana sous bêtabloquants pour l'instant. Son rythme cardiaque était encore faible, mais régulier. C'était déjà ça. Et on allait réduire la fréquence des dialyses à trois par jour.

— Il y a une nouvelle interne, m'annonça-t-elle. Le Dr Abingdon. Tu devrais lui parler. J'ai son numéro.

En échange, Bree obtint une assiette et une bouteille d'eau.

— Bree, tu en fais trop.

— Tu sais, moi, je n'ai jamais vraiment eu de famille...

Elle avait perdu sa mère à l'âge de cinq ans, et son père avait très vite cessé de s'intéresser à ses enfants. Élevée par différents cousins et cousines, elle était partie à dix-sept ans, en tirant un trait sur son passé.

— Cela ne change rien. Tu ne peux pas abandonner ton boulot indéfiniment.

— Chéri, écoute-moi. Je n'aime pas la raison pour laquelle je suis ici, mais j'ai décidé que c'était-là ma place, d'accord ? Un point, c'est tout. Pour moi, tout va bien.

Elle enroula quelques nouilles autour de sa fourchette et les mit en bouche avec un petit sourire que je n'avais vu depuis un moment.

— Et d'ailleurs, que veux-tu qu'ils fassent, au boulot ? Ils ne peuvent pas me remplacer, je suis trop bonne !

Il m'était difficile de la contredire.

En toute franchise, je me demande si j'aurais été capable de faire tout ce qu'elle faisait. Peut-être n'ai-je pas cette générosité. Ce qui est sûr, c'est que je lui étais incroyablement reconnaissant d'être à mes côtés, j'avais l'impression d'avoir de la chance. Jamais je ne la remercierais assez, mais elle n'attendait rien en retour.

Nous passâmes le reste de la soirée à lire à haute voix *Un autre pays*, le roman de James Baldwin, qui faisait partie des livres préférés de Nana. Puis, vers 22 heures, après l'avoir embrassée et lui avoir souhaité bonne nuit, je pus enfin rentrer chez moi et dormir dans mon lit. À côté de Bree, à la place qui était la mienne.

68

Quand Ned Mahoney m'appela, le lendemain, pour me demander de le retrouver dans le jardin de sculptures du musée Hirshhorn, je quittai aussitôt mon bureau pour faire le chemin à pied, sans poser de questions.

J'avais l'impression que tout s'accélérait. Que voulait Ned ? Qu'avait-il découvert ?

En descendant la rampe, côté parc, je l'aperçus, assis sur un muret. Il se leva, s'éloigna et, une fois que je l'eus rattrapé, commença à tout me raconter sans même me dire bonjour. Je le connaissais suffisamment. Je devais me taire et écouter.

Apparemment, le FBI avait déjà obtenu l'autorisation de consulter les comptes de Tony Nicholson à l'étranger, ce qui lui avait permis de se procurer le listing des virements effectués à son profit, avec le nom et les coordonnées bancaires des émetteurs.

Tout cela par l'entremise de la SWIFT, pour Society of Worldwide International Financial Telecommunication. Cette coopérative bancaire de droit belge, basée près de Bruxelles, gère plus de six billions de transactions financières par jour, partout dans le monde. Son réseau ne concerne pas la banque de détail – elle n'est pas forcément informée lorsque je vais retirer de l'argent à un distributeur automatique –, mais quasiment tout le reste passe par ses ordinateurs. Depuis que le gouvernement américain avait admis avoir secrètement exploité ses données, après le 11 Septembre, pour remonter la piste de cellules terroristes, de nombreux pays s'étaient inquiétés du non-respect des lois européennes sur la protection des libertés individuelles. Le FBI avait apparemment réussi à contourner tous les obstacles juridiques.

Mahoney continuait de distiller des infos.

— Si je dirigeais cette enquête, ce qui n'est pas le cas, je commencerais par m'intéresser aux émetteurs des virements les plus importants. Le problème, c'est que j'ignore le temps dont tu disposes, Alex. Cette affaire est extraordinairement sensible. Il y a un os quelque part, et il est de taille.

— Logiquement, le FBI devrait déjà être à pied d'œuvre, non ?

Il parlait depuis cinq minutes, et c'était ma première question. Je n'avais encore jamais vu Ned dans un tel état d'agitation, ce qui n'est pas peu dire quand on sait qu'il est toujours nerveux comme une pile électrique.

— Franchement, je ne sais pas.

Il haussa les épaules, plongea les mains dans ses poches. Nous entamâmes un autre tour du jardin encaissé.

— Ce qui est sûr, Alex, c'est qu'il se passe quelque chose. Un exemple. Pour une raison qui m'échappe, toute l'enquête vient d'être confiée à l'antenne de Charlottesville. Je suppose qu'ils vont travailler avec Richmond.

— L'enquête a été transférée ? Ça n'a pas de sens. Pourquoi faire une chose pareille ?

Je savais, pour avoir fait partie du FBI, qu'on ne transférait pas une enquête en cours sur un coup de tête. Cela ne se produisait quasiment jamais. Il pouvait arriver qu'on intercale une unité opérationnelle entre deux bureaux pour couvrir une zone plus vaste, mais là, ce n'était pas le cas.

— Ce sont les services du directeur adjoint qui l'ont annoncé hier. Ils ont procédé au transfert des dossiers le soir même. Je ne sais pas qui est le nouveau patron de l'enquête, ni même s'il y en a un. Personne ne veut me parler de cette affaire. Pour eux, je suis juste un type qui dirige une grosse équipe d'agents de terrain. Normalement, je ne devrais même plus être dans le coup. Et surtout, je ne devrais pas être ici.

— On essaie peut-être de te faire passer un message, lui dis-je pour plaisanter.

Il fit mine de n'avoir rien entendu. Ce n'était d'ailleurs pas très drôle. Je voulais juste le calmer un petit peu, faire en sorte qu'il parle moins vite pour que je puisse suivre.

Il s'arrêta près de la grande sculpture de Rodin et me serra la main bizarrement, d'un geste très protocolaire.

— Il faut que j'y aille.

— Mahoney, tu commences à m'inquiéter...

— Vois ce que tu peux obtenir. Je vais tenter d'en savoir plus, mais en attendant, ne compte plus sur le FBI. Pour quoi que ce soit. Tu m'as compris ?

— Non, Ned, je ne comprends pas. Et le listing dont tu me parlais ?

Il s'éloignait déjà vers Jefferson Drive. Sur les marches de pierre du grand escalier, sans se retourner mais en tapotant la poche de son manteau, il me répondit :

— Je ne vois pas à quoi tu fais allusion.

Quand il eut disparu, je découvris dans ma poche un petit objet noir et argent. Une clé USB.

69

Pour m'avoir communiqué des renseignements aussi sensibles, Ned Mahoney risquait bien plus que son job : il pouvait aller en prison. À moi de faire bon usage de ce fameux listing.

Je suivis donc les conseils de Ned, en m'intéressant en priorité au plus généreux des « bienfaiteurs » de Tony Nicholson.

Si l'on m'avait dit, un mois plus tôt, que Marshall Yarrow, le sénateur de Virginie, était mêlé à un scandale de ce genre, je me serais montré extrêmement sceptique. Cet homme avait trop à perdre, et je ne parle pas que d'argent, même s'il n'en manquait pas.

Yarrow était devenu milliardaire avant l'âge de cinquante ans en surfant sur la vague Internet. Puis il avait tout revendu. Une partie de sa fortune lui avait servi à créer une fondation, dans l'esprit de celle de Bill Gates, gérée par son épouse. Son but : développer des programmes de santé en faveur de l'enfance, aussi bien aux États-Unis qu'en Afrique et en Asie du Sud-Est. Yarrow avait ensuite mis à profit son image de philanthrope – et dépensé beaucoup d'argent – pour se lancer dans la course au Sénat. Une candidature que personne n'avait prise très au sérieux, jusqu'à sa victoire. Aujourd'hui, Yarrow en était à son second mandat et, à Washington, nul n'ignorait qu'il avait déjà formé, tout à fait officieusement, un comité exploratoire chargé d'étudier ses chances de remporter la prochaine élection présidentielle.

Il avait donc effectivement beaucoup à perdre, mais après tout, on avait vu bien d'autres hommes politiques ruiner leur carrière à Washington par excès d'orgueil...

Je n'eus qu'à passer quelques coups de fil pour apprendre que Yarrow avait un déjeuner de travail dans ses bureaux le jour même, suivi à 13 h 30 d'une réunion de la commission de l'énergie et des eaux du bassin du Tennessee, toujours dans l'enceinte du Russell Senate Office Building.

Il me suffisait donc de l'intercepter dans le hall sud-ouest juste avant la réunion.

À 13 h 25, Yarrow sortait de l'ascenseur, escorté d'une nuée d'assistants tirés à quatre épingles qui parlaient tous en même temps. Il était lui-même au téléphone.

J'allai à sa rencontre en exhibant ma plaque.

— Excusez-moi, monsieur le sénateur. J'aurais aimé que vous m'accordiez une minute.

La seule femme du groupe, une jolie blonde, très blonde, qui ne devait pas avoir trente ans, s'interposa.

— Puis-je vous aider ?

Je ne lâchai pas des yeux Yarrow, qui avait au moins eu le tact de faire patienter son interlocuteur.

— J'ai juste quelques questions à poser à M. le sénateur. J'enquête sur une vaste escroquerie à la carte bancaire en Virginie. L'une des cartes de crédit de M. Yarrow a peut-être été utilisée. Dans un établissement de Culpeper, un club.

Yarrow était très fort. Il n'avait même pas cillé lorsque j'avais évoqué Blacksmith Farms.

— Bon, si vous me promettez de faire vite, répondit-il avec juste ce qu'il fallait de contrariété dans la voix. Grace, dites au sénateur Morehouse de ne pas commencer sans moi. Allez-y, tous. Vous pouvez me laisser avec l'inspecteur, j'arrive dans deux minutes. C'est bon, Grace.

Quelques secondes plus tard, nous étions seuls. Enfin, autant qu'on pouvait l'être sous cette voûte à caissons haute de deux étages, qui renvoyait tous les sons Dieu sait où.

— Alors, de quelle carte de crédit parlons-nous ?

Il restait de marbre.

Je lui répondis, à voix basse :

— Monsieur le sénateur, j'ai des questions à vous poser au sujet de virements que vous avez effectués ces six derniers mois, vers un compte à l'étranger, pour un montant de près d'un demi-million de dollars. Préféreriez-vous que nous en parlions ailleurs ?

Son visage s'illumina comme s'il était l'invité d'un talk-show.

— Vous savez quoi ? Je viens de me rappeler qu'il me manque un dossier pour la réunion, et mes assistants sont déjà sur place. Voulez-vous m'accompagner ?

70

Dès mon arrivée dans le bureau de Marshall Yarrow, je fus frappé de le voir en photo sur tous les murs, en compagnie de gens « importants ». La Présidente, le vice-président, Tiger Woods, Bono, Arnold Schwarzenegger et Maria Shriver, Bob Woodward, Robert Barnett. Cet homme avait des relations et il tenait à le faire savoir à quiconque pénétrait dans son espace.

Perché sur un coin de son immense bureau incrusté d'un motif en cerisier, il prit soin de ne pas m'inviter à m'asseoir.

J'avais prévu d'attaquer bille en tête, mais je choisis finalement de faire profil bas et de voir ce que je réussirais à obtenir avec un peu de tact. De toute manière, si Yarrow décidait de sortir le pare-feu, je ne pouvais pas faire grand-chose sans commission rogatoire.

— Monsieur le sénateur, je voudrais vous dire, avant toute chose, que je ne suis pas venu évoquer vos liens avec cet établissement.

Ce n'était pas tout à fait vrai, mais cela ferait parfaitement l'affaire pour l'instant.

— Je n'ai jamais déclaré avoir des liens avec quelque établissement que ce soit.

Il ne manquait pas de culot, pour un type dont j'avais pu admirer les exploits sur plusieurs enregistrements.

Je n'insistai pas.

— Certes, mais il faut que vous sachiez que j'enquête sur une affaire d'extorsion de fonds, pas de prostitution.

Yarrow se fit brusquement plus agressif.

— Je vous en prie, inspecteur, ne jouez pas aux devinettes avec moi. Je suis trop malin et trop occupé pour ça. Qu'espérez-vous me faire dire, au juste ?

— Bonne question, et j'ai la réponse. Je veux que vous me confirmiez que ces virements bancaires correspondent bien à ce que je pense.

Il y eut un long face-à-face. Sans doute attendait-il que je baisse les yeux.

— Bon, d'accord, je vais jouer cartes sur table. Je suis bien allé à Blacksmith Farms, mais uniquement dans le cadre de soirées. Et je ne parle pas de moi, mais d'invités de passage à Washington – des donateurs, des gens du Moyen-Orient, ce genre de personnes – que je dois distraire. Ça fait partie de mes obligations, hélas.

« Je les emmène là-bas, je prends un ou deux verres et après, je les laisse. C'est tout. (Il agita la main gauche pour bien me montrer son alliance en or.) Croyez-moi, m'attirer les foudres de Barbara, ce serait comme me mettre tout mon électorat à dos, je ne peux pas me le permettre. Je n'ai pas fait appel aux services de prostituées et personne ne peut donc me faire chanter. Suis-je suffisamment clair ?

Je commençais à en avoir marre, de tous ces types qui faisaient comme s'il ne se passait rien.

— Navré, monsieur le sénateur, mais j'ai des preuves du contraire. Des enregistrements numériques. Vous voulez vraiment la jouer comme ça ?

Le sénateur Yarrow ne broncha pas, et pensa même à prendre le dossier qu'il avait prétendu avoir oublié.

— Vous savez, inspecteur, ma réunion de commission a commencé il y a cinq minutes, et si je ne défends pas aujourd'hui cet important texte de loi sur la gestion des eaux, il ne passera pas. Alors, comme il semblerait que vous n'ayez rien à me reprocher, vous voudrez bien m'excuser.

— Combien de temps doit durer cette réunion ?

Une carte jaillit de sa poche. Il me la tendit.

— Passez donc un coup de fil à Grace. On vous trouvera une petite place dans l'agenda.

Je sentais le pare-feu se dresser de plus en plus haut, de plus en plus vite.

71

Ce soir-là, j'avais apporté un CD, *The Best of U Street*, une compilation de grands noms de l'époque où Nana fréquentait les boîtes de jazz avec mon grand-père et leurs amis – Count Basie, Sarah Vaughan, Lena Horne et le grand Duke Ellington.

Nous l'écoutions en sourdine sur l'ordinateur de Bree.

D'autres voix, dans la chambre, m'étaient familières. J'avais en effet amené Jannie et Ali, que les infirmières avaient pour la première fois autorisé à entrer. Assis à côté du lit de Nana, il était tout sage, tout respectueux. Brave petit gars.

— À quoi ça sert, ça, papa ?

Quand il était nerveux, pas trop à l'aise, il avait toujours une voix plus enfantine.

— Ça, c'est le moniteur cardiaque. Tu vois ces lignes ? Elles montrent le rythme cardiaque de Nana. Et là, on voit qu'en ce moment il est régulier.

— Et le tube, là ?

— Ça, c'est pour lui donner à manger pendant qu'elle est dans le coma.

Et il me dit, tout à coup :

— Je voudrais que Nana rentre vite à la maison. C'est ce que je voudrais le plus au monde. Toute la journée, je fais des prières pour elle.

— Tu n'as qu'à le lui dire toi-même, Ali. Nana est là. Si tu veux lui dire quelque chose, vas-y.

— Elle peut m'entendre ?

— Oh, sûrement, à mon avis. (Je posai sa main sur celle de Nana, et la mienne par-dessus.) Vas-y.

— Bonsoir, Nana ! cria-t-il comme si elle était dure d'oreille.

Tout le monde se mit à rire.

— Il faut que tu parles moins fort, lui dit Bree. Mais au moins, il y a de l'enthousiasme. Je suis sûre que Nana t'a entendu.

72

Jannie, plus réservée à l'égard de son arrière-grand-mère, semblait un peu gênée, ne sachant trop comment se comporter. Elle restait en retrait, près de la porte. Je lui fis signe d'approcher.

— Viens ici, Janelle. Je voudrais vous montrer, à toi et à Ali, quelque chose d'intéressant.

Ali était suspendu à mon bras, et Jannie vint se percher sur mon épaule. Il n'y avait pas beaucoup de place à côté du lit, mais j'aimais bien nous sentir serrés, ne formant qu'un, prêts à encaisser ce qui nous attendait. Du moins l'espérais-je.

Je sortis de mon portefeuille la photo que j'avais trouvée chez Caroline et que je gardais sur moi.

— Là, c'est Nana Mama, votre oncle Blake et moi. Ça date de 1976, vous vous rendez compte ?

— Papa, t'as l'air ridicule ! s'exclama Jannie en désignant mon couvre-chef rouge, blanc, bleu et ma tignasse afro très seventies. C'est quoi, ce que tu portes ?

— On appelle ça un canotier. C'était le bicentenaire, le deux centième anniversaire de l'Amérique, et plus d'un million de personnes en portaient ce jour-là. Mais on n'était pas nombreux à être aussi joyeux.

— Oh, dommage.

Je la sentais à la fois gênée et pleine de pitié pour son pauvre papa un peu paumé.

— Quoi qu'il en soit, repris-je, il y avait un défilé, et cinq minutes après que cette photo a été prise, on a vu passer un grand char des Washington Redskins. Ils jetaient des miniballons de football américain dans la foule, et Blake et moi, on voulait absolument en attraper un. Alors on a suivi le char sur des centaines de mètres en oubliant complètement notre pauvre petite Nana. Et vous devinez ce qui s'est passé ensuite ?

Je racontais tout cela à l'intention des enfants, mais aussi pour Nana, comme si nous étions attablés, dans la cuisine, et qu'elle, devant son fourneau, ne perdait pas une miette de la conversation. Je me la représentais en train de mitonner un bon petit plat tout en nous épiant, l'air de rien, et en me réservant une pique.

— Elle nous a cherchés partout pendant des heures, et je peux vous dire que lorsqu'elle nous a retrouvés, elle était dans une colère noire. Vous ne pouvez pas imaginer.

Ali contempla Nana pour essayer, justement, d'imaginer.

— C'était une grosse colère ? Je veux savoir.

— Eh bien, tu te souviens du jour où elle est partie pour aller habiter ailleurs ?

— Oui.

— Elle était encore plus en colère que ça. Et tu te souviens de la fois où un jeune homme que je ne nommerai pas – (je le poussai du doigt) – s'est amusé à descendre l'escalier à cheval sur l'aspirateur, en rayant toutes les marches ?

Il prit un air ébahi pour jouer le jeu.

— Encore plus en colère que ce jour-là ?

— Dix fois plus en colère, petit bonhomme.

— Et comment ça s'est terminé, papa ? voulut savoir Jannie.

La vérité était que Nana nous avait giflés tous les deux. Avant de nous serrer contre elle et de nous acheter, sur le chemin du retour, des barbes à papa tricolores aussi grosses que nos coiffures. Elle avait toujours été de la vieille école, surtout en ces temps-là. Je ne lui avais jamais tenu rigueur des quelques raclées que j'avais prises. C'était comme ça, à l'époque.

« Qui aime bien châtie bien. » Avec moi, ça avait marché...

Je pris la main de Nana. Si frêle, si immobile, elle n'était que l'ombre de celle que je connaissais et que j'aimais de tout mon cœur depuis si longtemps.

— Tu as vraiment fait en sorte que nous ne recommencions jamais, hein, Regina ?

Deux secondes plus tôt, je plaisantais. Maintenant, j'avais la gorge nouée et il y a fort à parier que je ressentais ce qu'elle-même avait ressenti, ce jour-là, le long du Mall, avant de nous retrouver sains et saufs, Blake et moi.

J'avais peur et j'étais désemparé. Sans doute épuisé, à force de chasser de mon esprit le pire scénario. Je ne voulais qu'une chose : voir ma famille réunie, comme elle devait l'être, comme elle l'avait toujours été.

Hélas, je doutais que mon vœu se réalise et je n'étais pas encore prêt à affronter la vérité. Peut-être ne le serais-je jamais.

Ne nous lâche pas, Nana.

73

La journée du lendemain commença très tôt, trop tôt pour la plupart des collègues qui travaillaient sur l'affaire. Je disposais d'une liste de noms glanés dans les registres que Nicholson conservait dans son coffre, et Sampson m'avait confirmé les adresses de vingt-deux call-girls ayant travaillé à Blacksmith Farms.

Dès 8 heures, je chargeai cinq équipes de deux hommes, des hommes en tenue, de ramener autant de filles que possible.

Selon toute vraisemblance, elles étaient noctambules. Il me paraissait donc judicieux de les cueillir chez elles de bon matin, sans leur laisser le temps de s'appeler les unes les autres, ce qui aurait brouillé les témoignages et compliqué une enquête qui l'était déjà suffisamment.

Sampson contacta notre amie de la brigade anti-prostitution, Mary Ann Pontano, qui lui devait un service. Elle accepta de nous prêter les bureaux de la Troisième Rue que son équipe partageait avec les stups, et d'assister à une partie des interrogatoires. La plupart des prostituées étant de type européen, je voulais qu'il y ait également un visage féminin et blanc de notre côté de la table.

À 10 heures, nous avions déjà réussi à mettre la main sur quinze des vingt-deux filles.

Je dus les répartir dans toutes les salles de réunion, tous les locaux d'interrogatoire, tous les boxes, tous les couloirs disponibles. Ce n'était pas ainsi que j'allais me faire de nouveaux amis aux stups, mais je m'en fichais un peu.

Un vrai cirque, d'autant que j'avais aussi quatre agents en tenue pour veiller à ce que personne ne s'éclipse. Les autres, je les avais renvoyés chercher les filles manquantes en sachant bien que certaines pouvaient avoir disparu à jamais.

Les entretiens démarrèrent lentement. Aucune de ces très jolies demoiselles ne nous faisait confiance, ce qui était assez compréhensible. Nous avions décidé de ne rien leur cacher des détails concernant Caroline et de leur faire savoir qu'il y avait peut-être eu d'autres meurtres. Je voulais qu'elles se rendent compte du danger qu'elles couraient en travaillant pour Nicholson ou qui que ce soit d'autre. L'important était de les faire parler.

Quelques-unes reconnurent immédiatement Caroline sur les photos. On nous dit elle venait rarement au club, et qu'elle se faisait appeler Nicole. D'après elles, c'était une fille « sympa » et « réservée ». Bref, je ne disposais d'aucun élément susceptible de m'aider à retrouver son meurtrier.

En guise de déjeuner, je fis un tour dans le quartier pour essayer de me changer les idées, sans grand succès. Étais-je en train de perdre mon temps ? Posions-nous les mauvaises questions ? Valait-il mieux libérer les filles et essayer de sauver l'après-midi ?

C'était toujours la même histoire : je ne savais pas m'arrêter parce que, quand je m'arrêtais, j'avais l'impression de baisser les bras. Et, je ne m'y résignais pas. L'image des « restes » de Caroline demeurait gravée dans ma mémoire et je redoutais de découvrir que plusieurs autres jeunes femmes avaient connu une fin tout aussi atroce.

Je remontais la Troisième Rue, toujours aussi découragé, quand mon téléphone sonna. Je vis s'afficher le nom de Mary Ann Pontano.

— Je suis dehors, répondis-je. J'essaie de me changer les idées. J'ai bien dit : j'essaie. Je me balade.

— Je t'ai cherché partout, Alex. Tu devrais revenir interroger cette fille, Lauren.

Mon pas s'accéléra.

— La rousse, avec le manteau en mouton retourné ?

— Oui, c'est bien elle. Il semblerait que la mémoire lui revient. Elle a deux trois choses intéressantes à dire au sujet d'une des disparues, Katherine Tennancour.

74

À l'instar de toutes les call-girls que nous avions embarquées, Lauren Inslee était mince, pourvue d'une belle poitrine et absolument magnifique. Diplômée de l'université de Floride, ancien mannequin à New York et à Miami, elle était très demandée par les hommes qui recherchaient le style pom-pom girl. Nicholson se faisait fort, sans aucun doute, de satisfaire tous les goûts, mais l'essentiel était que ses filles aient l'air « chères ».

À peine nous étions-nous assis qu'elle me demanda :

— Katherine est morte, c'est ça ? Personne ne veut rien me dire. Vous aimeriez qu'on parle, mais vous, vous ne dites pas un mot de ce qui s'est passé.

— C'est parce que nous ne le savons pas, Lauren. Et c'est la raison pour laquelle nous avions besoin de vous entendre.

— Je veux bien, mais vous avez forcément une idée. Ce n'est pas de la curiosité malsaine, je souhaite juste savoir. C'était une amie, elle venait de Floride, elle aussi. Elle voulait être avocate. Elle avait été admise en droit à Stetson, une très bonne université.

Tout en parlant, elle s'ingéniait à déchiqueter une serviette en papier dont les lambeaux s'accumulaient à côté de la part de pizza que nous lui avions apportée, sur une assiette. Selon moi, elle désirait simplement entendre la vérité. Je décidai donc de ne rien lui cacher.

— D'après le rapport de police, elle n'a pas fait ses valises. Compte tenu du temps qui s'est écoulé, il y a de bons risques, effectivement, qu'elle ne revienne pas.

— Oh, mon Dieu...

Elle détourna le regard en essayant de refouler ses larmes, les bras serrés contre son corps.

L'atmosphère devenait de plus en plus déprimante dans cette salle d'interrogatoire aux murs fraîchement repeints, mais déjà couverts de graffitis, et au plancher grêlé de vieilles traces de mégot.

— D'après l'inspecteur Pontano, vous avez fait allusion à un client en particulier, à Blacksmith. Il était peut-être question de Katherine. Lauren, parlez-moi de ce client.

— Je ne sais pas. Peut-être. Je veux dire que je sais seulement ce que Katherine m'a dit, et là-bas, de toute façon, il y avait toujours des bruits qui couraient.

— Que vous a-t-elle dit, Lauren ? insistai-je d'un ton aussi mesuré et rassurant que possible. Nous n'allons pas vous arrêter, quelles que soient les déclarations que vous ferez ici, vous avez ma parole. Il s'agit d'une enquête criminelle de première importance. Les mœurs, je m'en tape.

— Elle m'a dit qu'elle avait un rencard avec un type important, qu'elle appelait « Zeus ». C'est la dernière fois qu'on s'est parlé.

Je pris note. Zeus ?

— Est-ce un pseudo ? Ou le code qu'elle utilisait pour désigner le client ?

Elle se tamponna les yeux.

— Un pseudo. Ils réservent presque tous sous un faux nom. Vous voyez, genre Mister Shakespeare, Scoubidou, Dirty Harry, ce qui leur chante. Ça se finit quand même en tête à tête, si je peux dire, mais en attendant, les vrais noms n'apparaissent nulle part et c'est une sécurité pour tout le monde, croyez-moi.

— Je n'en doute pas. Lauren, savez-vous qui est ce Zeus ? Avez-vous une idée ?

— Je ne sais pas. Je vous assure. Ce que je peux dire, c'est qu'il avait - enfin, à ce qu'il affirmait - quelque chose à voir avec le gouvernement, mais de ce côté-là, Katherine était parfois un peu crédule. Quand elle m'a raconté ça, je n'ai pas vraiment fait attention.

Je commençais à carburer.

— Crédule, dans quel sens ? Pourriez-vous être plus explicite ?

Elle se détendit un peu, passa ses mains dans sa chevelure pour dégager son visage. Parler de Katherine la soulageait, je crois.

— Il faut que vous compreniez une chose. (Elle se pencha vers moi comme pour me faire une confidence.) Les clients mentent toujours quand vous leur demandez ce qu'ils font dans la vie. Ils s'imaginent que si vous les prenez pour des types super-importants, vous ferez plus d'efforts, vous accepterez qu'ils baisent sans préservatif ou je ne sais quel fantasme débile. Je ne crois pas la moitié de ce que j'entends. En fait, je pars du principe que ceux qui parlent d'eux mentent forcément. Ceux qui ont vraiment du pouvoir, ce sont ceux qui ne disent rien.

— Et Zeus ?

— Franchement, je ne sais même pas s'il existe. Ce n'est qu'un nom. Un nom de dieu grec, d'accord ? Grec. C'est peut-être un indice ? Une préférence sexuelle ?

75

Je n'eus pas vraiment le loisir de méditer les déclarations de Lauren car, le lendemain matin, on me mâcha le travail.

J'étais en train de faire le plein à la station d'un 7-Eleven, sur L Street. J'avais dû louer une voiture, car la mienne était au garage, les vitres et le pare-brise n'ayant pas survécu à la fusillade d'Alexandria. J'avais hâte de la récupérer. Rien ne remplace le confort d'un cocon douillet où il suffit de tendre machinalement le bras pour trouver le porte-gobelet.

Mon téléphone sonna. C'était un numéro masqué, mais depuis l'hospitalisation de Nana, je décrochais systématiquement.

— Docteur Cross ? (Une voix de femme, un peu protocolaire, que je ne reconnaissais pas.) Veuillez ne pas quitter, je vous passe le chef de cabinet de la Maison-Blanche.

Elle me mit en attente avant que ne je puisse dire un mot. J'étais abasourdi. Un coup de fil de la Maison-Blanche ? Maintenant ? Que se passait-il ?

J'eus rapidement Gabriel Reese en ligne. Sa voix m'était déjà familière. Je l'avais souvent vu aux infos et parfois, le dimanche matin, dans l'émission *Meet the Press*.

— Bonjour, inspecteur Cross, comment allez-vous ?

Le ton était débonnaire.

— Disons que ça dépend, monsieur Reese. Puis-je vous demander comment vous avez obtenu mon numéro de téléphone ?

Il ne répondit pas, bien entendu.

— J'aimerais vous rencontrer aussi rapidement que possible. Idéalement ici, à mon bureau. Votre hiérarchie est prévenue. Quand pouvez-vous vous libérer ?

Je pensai à Ned Mahoney, qui m'avait paru si nerveux lors de notre dernière entrevue, affolé par le transfert des dossiers de l'enquête. Apparemment, ses craintes étaient justifiées.

— Pardonnez-moi, monsieur Reese, mais de quoi s'agit-il ? Puis-je au moins vous poser la question ?

Il y eut un silence, peut-être soigneusement calculé.

— Je crois que vous le savez déjà.

Maintenant, oui.

— Je peux être là dans un quart d'heure.

Reese me surprit une seconde fois.

— Non. Dites-moi où vous êtes. On passe vous prendre.

76

Quelques minutes plus tard, un militaire arriva au volant d'une berline. Il me suivit jusqu'à un parking proche, attendit que je me gare, puis me conduisit à la Maison-Blanche.

Nous entrâmes par la porte nord, sur Pennsylvania Avenue. Je dus montrer mes papiers à la sentinelle, puis au garde armé qui m'accueillit au rond-point de l'aile ouest. De là, un agent du Secret Service m'escorta jusqu'à l'entrée la plus proche de la roseraie.

J'avais déjà suffisamment mis les pieds à la Maison-Blanche pour savoir que j'étais sur une voie express menant directement au bureau du chef de cabinet.

Et, de toute évidence, on m'avait fait accompagner pour que ma visite n'attire pas l'attention. Gabriel avait la réputation d'être un intellectuel plutôt qu'un cogneur, une éminence grise dont on jaugeait difficilement le pouvoir. Ami de la Présidente depuis de très longues années, il était, pour de nombreux analystes politiques, le vice-président de fait. Pour moi, cela signifiait que ce rendez-vous avait lieu à son initiative, ou à la demande de la Présidente. Aucune des deux hypothèses ne me rassurait vraiment.

Mon garde du corps me confia à une femme dont je reconnus immédiatement la voix. C'était l'assistante qui m'avait appelé. Elle me proposa du café – je n'en voulais pas – et me conduisit auprès de Gabriel Reese.

— Inspecteur Cross, merci d'être venu. (Il me serra la main au-dessus de son bureau et m'invita à prendre place dans l'un des fauteuils à dossier haut.) Je suis navré, pour votre nièce. Je n'ose imaginer le choc que ça a dû être pour vous.

— Oui, je vous remercie. Je dois avouer, cela dit, que je suis un peu gêné de vous voir en possession d'autant d'éléments sur cette enquête.

Il eut l'air surpris.

— Le contraire serait bien plus étonnant. Le Secret Service doit être au courant de tout ce qui concerne la Maison-Blanche, cela fait partie de sa mission.

Sa réponse me prit au dépourvu. Quel lien mon enquête criminelle pouvait-elle avoir avec la Maison-Blanche ?

— Comment se fait-il, dans ce cas, que ce ne soit pas eux qui m'aient convoqué ? Le Secret Service.

— Chaque chose en son temps.

Très bien. De toute manière, mon système nerveux était au bord de la surtension.

Si son attitude n'avait rien d'agressif, Reese donnait l'impression d'être très sûr de lui. De près, il paraissait plus jeune. Je lui trouvais presque un air d'étudiant, avec son col boutonné et sa cravate unie. Rien ne laissait deviner que cet homme était l'un des architectes de la politique américaine dans le monde.

— Pour l'instant, j'aimerais savoir comment se déroule l'enquête. Dites-moi où vous en êtes, quel est votre sentiment, ce que vous avez découvert.

Cet entretien devenait de plus en plus étrange.

— Elle se déroule bien, je vous remercie.

— Ce que je voulais dire…

— Je crois savoir ce que vous vouliez dire, monsieur Reese, mais avec tout le respect que je vous dois, ce n'est pas à la Maison-Blanche que je dois rendre des comptes. Pas pour le moment, en tout cas.

— Je vois. Vous avez raison, vous avez absolument raison. Excusez-moi d'avoir outrepassé mes fonctions.

J'étais déjà moi-même allé trop loin, mais je choisis de poursuivre l'offensive.

— Avez-vous déjà eu l'occasion d'entendre le nom « Zeus » au cours de cette affaire ?

Il médita ma question un bref instant.

— Pas que je me souvienne. Et un nom comme « Zeus », ça ne s'oublie pas, *a priori*.

J'avais la conviction qu'il mentait. Je pensais à ce que Lauren Inslee m'avait confié à propos de ses clients. Pourquoi un type comme Reese se donnait-il la peine de me répondre, si ce n'était pour mentir ?

Quand le téléphone bourdonna, il décrocha immédiatement sans me quitter des yeux. Il écouta, raccrocha, se leva.

— Vous voulez bien m'excuser une minute ? Je suis vraiment désolé. Je sais que vous êtes pressé.

Lorsqu'il sortit du bureau, un agent du Secret Service vint se planter sur le seuil de la porte, en me tournant le dos. J'aurais bien aimé savoir ce qui se serait passé si j'avais tenté de m'en aller, mais je ne fis même pas mine de me lever. J'étais un peu perdu. En quoi mon enquête concernait-elle le chef de cabinet de la Maison-Blanche ?

Puis j'entendis des murmures, à l'extérieur.

L'agent posté à la porte laissa la place à l'un de ses collègues, qui entra et jeta un bref coup d'œil dans toute la pièce. Son regard glissa sur moi comme si je faisais partie du mobilier.

Après quoi il s'écarta pour laisser passer la Présidente. Elle était tout sourire.

— Alex Cross. J'ai tellement entendu parler de vous. Toujours en bien.

77

La présidente me serra la main et prit place sur le canapé Chesterfield au lieu de s'asseoir derrière le bureau. Elle affichait une décontraction qui tranchait avec la raideur de Reese, mais je ne me sentais pas plus à l'aise pour autant.

— J'ai lu votre livre, me dit-elle. Cela remonte à plusieurs années, mais je m'en souviens bien. Je l'ai trouvé très intéressant. Et d'autant plus effrayant que tout ce que vous écrivez est vrai.

— Merci, madame la Présidente.

J'avais une réelle admiration pour Margaret Vance. Elle avait fait beaucoup pour rétablir le dialogue entre élus républicains et démocrates. Elle et son mari, Theodore Vance, jouissaient d'une grande influence bien au-delà de Washington. En temps normal, j'aurais aimé travailler avec la Présidente. En temps normal.

— J'ai un service à vous demander, docteur Cross.

D'un signe de tête, elle pria l'agent de nous laisser seuls. J'attendis qu'il referme la porte.

— Cela concerne mon enquête ?

— Exact. Je pense que, comme moi, vous en conviendrez : le déroulement de cette enquête ne doit pas représenter un danger pour des personnes innocentes ou, évidemment, la sécurité nationale. Ni même pour le fonctionnement de l'État au quotidien. Sous un certain jour, des allégations peuvent s'avérer aussi dommageables que des inculpations. Vous le savez sans nul doute.

— Oui, je connais un peu le problème.

— Vous êtes donc à même d'apprécier la délicatesse de la situation.

Elle ne me parlait pas vraiment, elle monologuait comme si, pour elle, la cause était entendue.

— J'aimerais que vous rencontriez l'un de nos hommes, l'agent Dan Cormorant. Que vous le briefiez et que vous lui confiiez le dossier.

— Je ne suis pas certain d'être en mesure de le faire. Pour plusieurs raisons.

— Ça ne posera pas de problème. Les hommes en tenue du Secret Service ont les mêmes prérogatives que la police de Washington.

— Oui, mais uniquement à l'intérieur de l'agglomération.

Elle poursuivit en ignorant totalement ma remarque.

— Et, bien entendu, tous les moyens d'investigation techniques et humains nécessaires. Nous avons ici les meilleurs enquêteurs du monde. (Elle s'interrompit, me regarda par-dessus ses lunettes.) Sans parler de celui que j'ai en face de moi, bien entendu.

Oh, oh, oh ! Rare sensation, que de se faire encenser par la leader du monde libre. Je n'eus, hélas, que quelques secondes pour la savourer. Si mon GPS intérieur est en général assez fiable, là, je sentais qu'il m'envoyait dans le ravin.

Mon cœur cognait, mais j'avais encore les idées claires.

— Madame la Présidente, j'aimerais demander conseil et vous répondre dans les vingt-quatre heures, soit par écrit, soit en personne, comme vous le souhaiterez.

Elle ne chercha même pas à voiler sa déception. Deux parenthèses se dessinèrent autour de sa bouche.

— Je ne suis pas ici pour négocier, docteur Cross. Je vous ai rencontré par courtoisie, et à titre tout à fait exceptionnel, persuadée que vous n'étiez pas homme à apprécier qu'on passe par-dessus vous. Manifestement, j'ai eu tort. (Elle se leva, et j'en fis autant.) Honnêtement, je m'étonne. On m'avait dit que vous étiez quelqu'un de brillant et patriote.

— Un patriote qui se trouve actuellement dans une situation très difficile, madame la Présidente.

Margaret Vance ne m'adressa plus la parole. Ses derniers mots, en quittant la pièce, furent pour l'agent posté devant la porte.

— Raccompagnez le Dr Cross. Nous avons terminé.

QUATRIÈME PARTIE

NETTOYAGE

78

Les exécutions se multipliaient. On aurait dit, à présent, une épidémie qui s'étendait et tuait tous les sujets infectés.

Adam Petoskey se redressa brusquement sur le canapé, le cœur battant. Quelque chose venait de le réveiller, et ce n'était pas le cauchemar atroce qu'il faisait régulièrement depuis un certain temps.

Que se passait-il ?

Tout était éteint, à part la télé. Il s'était endormi devant l'émission de Jon Stewart, dont l'humour décalé lui apportait un semblant de répit.

À l'écran, il y avait maintenant une pub qui n'en finissait plus, une histoire de régime amaigrissant, avec des gens qui riaient, qui criaient. Peut-être était-ce cela qui l'avait arraché à son sommeil.

Sa compagne du moment s'appelait paranoïa, et cette garce n'avait rien d'une sinécure. Il n'était pas sorti de chez lui depuis une semaine, une semaine entière. Il avait débranché les téléphones, baissé les stores, et un monceau de sacs-poubelles masquait une partie de la porte de derrière, qu'il avait condamnée la première nuit parce qu'il n'avait pas réussi à fermer l'œil.

Adam Petoskey savait des choses, des choses qu'il aurait préféré ne pas savoir. Oh, oui...

Travailler pour Tony Nicholson et sa petite amie, Mara, trafiquer les comptes en fermant les yeux, ne lui avait jamais plu. Mais là, ne pas travailler pour lui, ne plus avoir de nouvelles, c'était bien pire.

L'exemple parfait, c'était ce soir. Lorsqu'il se leva, il tremblait encore.

Il se dirigea vers la cuisine. S'arrêta illico. Pour la centième fois de la semaine, il eut la très nette impression qu'il y avait quelqu'un derrière lui.

Et cette fois-ci, c'était bien le cas.

Il n'eut pas le temps de se retourner.

Un bras puissant lui emprisonna le cou et tira brutalement en arrière, en le soulevant presque du sol. On lui plaqua du Chatterton sur la bouche. Il l'entendit se déchirer, le sentit se coller et se distendre.

— Inutile de résister, monsieur Petoskey. Si vous résistez, vous mourrez, tout simplement.

Quelque chose de dur s'enfonça entre ses omoplates et le poussa vers la chambre.

— On y va. Par ici, cher ami.

Petoskey avait le cerveau en ébullition. Les chiffres étant sa spécialité, il était capable de calculer équations et probabilités comme une vraie machine, et tout indiquait qu'il devait faire ce que cet homme lui demandait de faire. Curieusement, d'ailleurs, obéir aux ordres de quelqu'un au bout de sept jours de solitude dans son trou à rats lui procurait même une sorte de soulagement.

Une fois dans la chambre, le type alluma la lumière. Petoskey ne l'avait jamais vu. Grand, blanc, cheveux poivre et sel. Il y avait un truc au bout de son pistolet, sans doute un silencieux, comme à la télé.

— Faites vos bagages. N'oubliez rien. Vêtements, portefeuille, passeport, tout ce qu'il vous faut pour un long voyage.

Petoskey s'exécuta, mais de nouvelles questions assaillaient déjà son esprit encombré. Où allait-il ? Quel genre de voyage ? Et comment réussir à convaincre cet homme, ou un autre, qu'il n'avait jamais eu l'intention de répéter à quiconque ce qu'il savait ?

Chaque chose en son temps, Petoskey. Vêtements, portefeuille, passeport...

— Maintenant, à la salle de bains. Prenez tout ce dont vous avez besoin.

Oui, se dit-il. Surtout, ne rien oublier. Brosse à dents, dentifrice, rasoir... préservatifs ? Évidemment. Autant rester optimiste.

La salle de bains attenante à la chambre était minuscule. Entre le lavabo sur colonne, le W-C et la baignoire, il n'y avait qu'un tout petit espace.

Petoskey ouvrit l'armoire à pharmacie et sentit aussitôt une pression familière entre ses omoplates.

— Montez dans la baignoire et allongez-vous, mon petit monsieur.

Cela ne rimait à rien, mais beaucoup de choses lui échappaient, en ce moment. Allait-on le ligoter dans la baignoire ? Le dépouiller ? L'abandonner là ?

— Non, fit le type. Dans l'autre sens, la tête près du siphon.

Et brusquement, tout devint parfaitement, horriblement clair. Pour la première fois, Petoskey hurla, et n'entendit qu'un piaillement derrière son bâillon. C'était vraiment la fin. Ce soir, il disparaissait à jamais.

Il en savait trop. Tous ces noms si connus, et leurs vilains petits secrets.

79

Le nombre de personnes auxquelles je pouvais parler de cette enquête ne cessait de se réduire. Heureusement, il y avait toujours Nana.

Les premiers jours, je ne lui avais rien révélé pour ne pas ajouter de stress au stress, mais au fil du temps, mes visites devenant une habitude, je finis par me rendre compte que si Nana avait été consciente depuis le début de son hospitalisation, elle m'aurait quotidiennement demandé des nouvelles de l'enquête. C'était pour moi une certitude.

Je pris donc la décision de ne plus rien lui cacher.

— Ça ne se passe pas bien, ma bonne vieille, lui dis-je ce soir-là. L'enquête sur l'assassinat de Caroline. À vrai dire, je suis complètement dépassé. C'est la première fois que je me retrouve dans une situation pareille. Pour autant que je me souvienne.

« Ramon Davies est à deux doigts de me retirer l'affaire. L'enquête du FBI avançait à grands pas, mais aujourd'hui, je ne sais même pas où ils en sont. Et la Maison-Blanche me colle aux basques. La Maison-Blanche. Incroyable, mais vrai.

« Tous ces gens-là sont censés être du bon côté, Nana. Je m'interroge. J'ai de plus en plus de mal à faire la différence. Je ne sais plus qui disait « on peut très bien aimer son pays et haïr l'État ».

Tout était calme, comme d'habitude. Je baissais chaque fois le son du moniteur cardiaque. On n'entendait que le sifflement du ventilateur et des échos de conversations en provenance du bureau des infirmières.

L'état de Nana n'avait pas évolué, mais elle me paraissait plus mal en point qu'avant. Plus chétive, plus blafarde, plus lointaine. Et j'avais le sentiment que, depuis peu, toute ma vie glissait dans la même direction.

— Je ne sais plus ce que je dois faire. D'une manière ou d'une autre, l'affaire va éclater et elle fera l'effet d'une bombe. Je te parle d'un scandale énorme, genre Watergate. Il y aura des auditions, des tentatives de manipulation en tous genres, et on ne saura probablement jamais la vérité, mais j'ai l'impression d'être le seul à vouloir ouvrir cette porte. Je veux savoir ce qu'il y a derrière. Il faut que je le sache.

Le silence de la pièce avait un avantage : il me permettait d'entendre les réponses de Nana.

Mon pauvre Alex. Seul contre tous, hein ? Et tu voudrais que je te croie ?

Ce n'était pas une question de pure rhétorique. Qui avais-je de mon côté ? Sampson. Bree, bien entendu. Et Ned Mahoney. Où était-il, en ce moment ?

Et depuis un certain temps, je gardais également une petite idée en réserve, en cas de mauvaise passe. Si je tentais le coup, il me serait impossible de faire marche arrière, mais fallait-il attendre que la situation empire ?

Je passai les bras entre les barres du lit pour poser les mains sur Nana. Le toucher était devenu particulièrement important pour moi. C'était un moyen comme un autre de communiquer, aussi longtemps que possible.

Le ventilateur sifflait. Un rire résonna dans le couloir.

— Merci, chère Nana. Où que tu sois.

De rien, me répondit-elle à sa manière, et nous nous en tînmes à cela. Comme toujours, Nana avait eu le dernier mot.

80

L'hécatombe se poursuivait. Quiconque savait quelque chose était menacé.

Plus de trois mille kilomètres séparaient la Virginie de l'île de Trinité et de la maison bleu ciel où Esther Walcott avait passé toute sa jeunesse. C'était ici, dans les faubourgs de la capitale, Port of Spain, qu'elle était venue se réfugier quelques jours après la descente du FBI dans la boîte de M. Nicholson.

Ses parents l'avaient accueillie à bras ouverts et, surtout, sans lui poser de questions sur la vie qu'elle avait quittée si soudainement aux États-Unis.

Hôtesse et recruteuse du club, elle avait au moins réussi à amasser un joli pécule en l'espace de deux ans. De quoi ouvrir son propre salon de coiffure, avec manucure et pose d'ongles, ou même une boutique à West Mall, comme dans ses rêves de jeune fille. Un nouveau départ, dans les meilleures conditions.

Hélas, lorsque, trois jours après son arrivée, elle se réveilla au beau milieu de la nuit, une main plaquée sur la bouche, une main d'homme, et qu'elle entendit susurrer une voix à l'accent américain, Esther comprit qu'elle n'avait pas fui assez loin.

— Un son, et je tue tout le monde dans cette maison. Tout le monde. Tu comprends ce que je te dis, Esther ? Hoche simplement la tête.

Elle avait toutes les peines du monde à ne pas hurler. Des hoquets entrecoupaient sa respiration saccadée, mais elle parvint malgré tout à opiner de la tête.

— Voilà une brave fille, une fille intelligente. Comme au club, en Amérique. Où est ta valise ? (Elle désigna le placard.) Bien. Maintenant, je veux que tu t'asseyes, très lentement.

Il l'aida à se redresser et lui scotcha une longueur d'adhésif sur la bouche avant de la lâcher. Il faisait plus de vingt-quatre degrés, mais elle frissonnait comme s'il gelait. Quand les mains rugueuses effleurèrent son ventre et sa poitrine, elle se sentit pour ainsi dire nue. Sans défense. Accablée.

Son cœur fit un bond lorsqu'elle vit un rai de lumière sous la porte. Elle eut un sursaut d'espoir, puis l'angoisse reprit le dessus. Quelqu'un venait.

L'intrus se tourna vers elle, dans la pénombre, et posa l'index sur ses lèvres pour lui rappeler que la vie de sa famille était en jeu.

Deux secondes plus tard, on frappa doucement à la porte.

— Esther ?

C'était la voix de sa mère.

N'en pouvant plus, Esther arracha son bâillon.

— Sauve-toi, maman ! Il a un pistolet ! Sauve-toi !

Mais la porte s'ouvrit brutalement et la large silhouette de Miranda Walcott se découpa sur la lumière du couloir.

Esther n'entendit qu'un petit *pop*, rien à voir avec un vrai coup de feu, mais sa mère mit la main à sa poitrine et s'écroula sans un mot.

Esther poussa des hurlements. Rien, désormais, n'aurait pu l'en empêcher. Elle entendit son père arriver en courant.

— Esther ? Miranda ?

Quand l'agresseur se dirigea vers la porte, elle voulut se jeter sur lui, essayer au moins de lui attraper les chevilles pour le faire tomber, mais ne réussit qu'à s'étaler de tout son long.

Pop.

Dans le couloir, quelque chose vola en éclats, et Esther vit son pauvre père s'affaler contre le mur.

Il y avait des éclairs blancs à la périphérie de son champ de vision. La chambre tanguait. La jeune femme monta sur le lit et, des deux poings, défonça la moustiquaire métallique qui obstruait la petite fenêtre.

Il y avait des buissons de sauge noire, en contrebas, pour amortir sa chute. Esther avait déjà réussi à se glisser à l'extérieur jusqu'à la taille quand deux mains vigoureuses lui enserrèrent les chevilles et la tirèrent. L'appui de fenêtre lui racla le corps.

Esther se remit à hurler, en sachant que les voisins l'entendraient, mais qu'il était de toute façon trop tard.

Ils allaient tuer toutes les personnes qui savaient quelque chose.

Ainsi que toutes celles qui tenteraient de leur barrer la route.

81

Damon était rentré pour le week-end, pour notre plus grand bien à tous. Je lui avais payé un billet en lui demandant de venir, non seulement à cause de l'état de santé de Nana, mais aussi parce qu'en ces temps de tourmente il nous manquait plus que jamais.

Et j'avais envie de voir tous mes petits sous le même toit, ne fût-ce que deux jours.

Cela commença par un dîner de bienvenue avec, au menu, certains des plats préférés de Damon. Salade César pour tout le monde, agrémentée d'anchois pour moi. Burgers à la sauce tomate, d'après la recette de Nana, servis dans des pains évidés par les deux plus jeunes. Et comme dessert, des brioches à la cannelle que Jannie, pour la première fois, avait dû faire toute seule, sans l'aide de Nana.

Ce week-end pas comme les autres se déroula dans une atmosphère à la fois triste et joyeuse. Damon découvrait tous les changements qui étaient intervenus à la maison. Jannie, Ali et moi avions pris l'habitude de voir Bree gérer les emplois du temps, donner un coup de main pour les devoirs, servir les repas. Pour Damon, c'était nouveau. En guise de commentaires, il multipliait les remerciements. Bree était ravie.

Quand il nous eut raconté sa vie à la Cushing Academy, une fois le repas terminé, j'orientai la conversation.

— Il faut qu'on parle de Nana Mama.

Jannie soupira. C'était elle qui, à mon sens, vivait le plus mal la situation. Elle réclamait sans cesse des nouvelles. Depuis son plus jeune âge, elle et Nana faisaient tout ensemble. Elles étaient incroyablement proches.

— Que veux-tu dire, papa ? demanda Damon. On sait tous ce qui se passe, non ?

— Justement, il faut qu'on en parle. Il est possible que l'état de Nana s'améliore bientôt, c'est ce que nous espérons tous. Ou elle peut rester un certain temps dans le coma. Mais peut-être qu'elle... ne se réveillera jamais.

— Peut-être qu'elle va mourir, lâcha crûment Jannie. On a compris, papa. Même Ali a compris.

Ali avait l'air de bien réagir, pour l'instant. Il était, à sa manière, très mûr pour son âge. Depuis qu'il avait quatre ans, environ, Nana et moi lui tenions un langage d'adulte, en respectant son intelligence. Nana partageait l'une de mes théories sur l'éducation : on ne donne jamais trop d'amour à un enfant, mais son environnement, à la maison, doit le préparer à ce qu'il va affronter à l'extérieur. Il ne s'agit pas de le dorloter à l'excès, ni de lui trouver des excuses quand son comportement est inacceptable.

— Nous avons tous compris, répondis-je. Nous sommes tous tristes, et en colère. Allez, venez vous serrer contre moi. Je suis peut-être le seul qui a besoin d'être soutenu, en ce moment.

Et le temps d'une étreinte collective et silencieuse, chacun eut une pensée pour Nana.

Bree fut la première à fondre en larmes, puis tout le monde se mit à pleurer. Il n'y avait aucune honte à ça, c'était un simple témoignage d'amour. Cela ne marche peut-être pas pour toutes les familles, mais chez nous, c'est comme ça...

82

Le lundi matin, je repris mon enquête, prêt à avancer un nouveau pion. Il était question de Wylie Rechler, que ses lecteurs connaissaient sous le pseudo de « Jenna ». Elle avait déjà rendu service au FBI et à la police de Washington, notamment à la brigade des mœurs.

Wylie Rechler était la grande échotière de la capitale, notre Cindy Adams, notre Perez Hilton à nous. Son blog, intitulé *Les Indiscrétions de Jenna*, faisait un carton. Elle s'était offert quelques scoops, comme l'entrée de Angelina Jolie au Council on Foreign Relations ou les cigarettes que Barack Obama fumait en cachette, mais consacrait l'essentiel de ses colonnes à la vie sociale et sexuelle des « gens qui comptent », selon la formule figurant sur sa page d'accueil.

En début d'après-midi, Sampson m'accompagna chez Neiman Marcus, à Friendship Heights. Wylie Rechler avait choisi ce grand magasin de luxe pour le lancement de son propre « parfum de créateur », baptisé tout simplement *Indiscrétions de Jenna*. Un nom somme toute assez approprié, car la discrétion n'était effectivement pas la caractéristique principale des effluves lourds et sucrés qui avaient envahi les lieux.

Elle était installée au milieu du magasin, près des Escalator. Quelques jolies demoiselles en smoking noir aspergeaient les clientes de passage tandis que Jenna dédicaçait ses flacons. Une immense pyramide de coffrets rouge et noir se dressait sur un comptoir semi-circulaire.

À la vue de nos plaques, elle porta à sa poitrine une main parfaitement manucurée.

— Oh ! mon Dieu ! Je crois que, cette fois, je suis vraiment allée trop loin !

Rires dans l'assistance.

— Je me demandais si je pouvais vous persuader de faire une pause, lui dis-je. C'est important.

— *Mais oui*[1]. (Elle se leva d'un geste théâtral.) Excusez-moi, mesdames, mais les potins attendront. La police de Washington sait tout, mais... est-elle prête à tout révéler ?

Dès que nous nous fûmes éloignés de la foule, la chroniqueuse retrouva un certain naturel.

— Je n'ai pas d'ennuis, dites-moi ?

— Non, absolument pas, la rassura Sampson en lui tenant la porte donnant sur Wisconsin Avenue. Nous avons simplement besoin d'aide.

Nous attendîmes d'être dans ma voiture pour poursuivre. Et ma première question fut des plus directes.

— J'aimerais savoir si vous avez entendu parler d'un club libertin, en Virginie, fréquenté par une clientèle très aisée. L'endroit s'appelle Blacksmith Farms. Nous cherchons à faire des vérifications.

Elle était en train de farfouiller dans son petit sac à main rouge. Elle s'arrêta net.

— Vous voulez dire qu'il existe ?

— Je m'intéresse à ce que vous auriez pu entendre. Des noms, des histoires, n'importe quoi.

— Rien depuis un bon moment, me répondit-elle en sortant un bâton de rouge à lèvres. Pas de quoi alimenter un sujet. Je pensais que c'était... comment dire... une ridicule légende urbaine ?

— Votre boulot consiste bien à publier des rumeurs, non ? l'aiguillonna Sampson.

— Mon boulot, mon cher monsieur, consiste à être aussi précise que possible et à éviter les procès. J'en ai suffisamment bavé quand j'ai évoqué la vie

1. En français dans le texte.

sentimentale de Condoleezza Rice sur mon blog. Et pour votre gouverne, sachez qu'une vieille rumeur, à Washington, ça n'existe pas.

— C'est-à-dire ?

— C'est-à-dire qu'ici il suffit de taper dans un arbre pour voir tomber un journaliste d'investigation qui cherche à se faire un nom. Soit la rumeur se transforme très vite en gros titres, soit elle est pourrie. Comme je n'en entendais plus parler, je me suis dit qu'il n'y avait rien à creuser.

Dans le rétroviseur, je vis son visage se crisper sur un grand sourire. Elle commença à se tartiner les lèvres.

— Enfin, jusqu'à aujourd'hui.

Nos regards se croisèrent.

— Autre chose, lui dis-je. Il ne faut pas que vous en parliez pour l'instant.

— Pardon ? Vous savez comment je gagne ma vie, n'est-ce pas ?

— Et j'imagine que vous savez comment je gagne la mienne. Ceci est une enquête criminelle, pas un jeu. Il s'agit de meurtres, Jenna. Est-ce que vous comprenez ce que je vous dis ?

— D'accord. Là, vous me faites peur.

Elle rangea son bâton de rouge et accepta enfin de parler. Elle me donna quelques noms, qu'elle avait entendus. Des noms nouveaux, qui nous seraient précieux.

Je lui tendis deux de mes cartes de visite.

— Appelez-moi si vous apprenez quoi que ce soit, et donnez-moi également votre numéro, s'il vous plaît. Dès que l'affaire sera mûre, je vous donnerai tout ce que j'ai. Marché conclu ?

— Ça dépend, répondit-elle en s'éventant avec mes cartes. Qu'est-ce qui me dit que vous me renverrez l'ascenseur ?

Il fallait que je choisisse soigneusement mes mots.

— Si je suis là, c'est parce que j'ai besoin de vous et que je sais que vous avez déjà rendu service à mes collègues par le passé. Ce qui signifie également que je ne peux pas me permettre d'avoir quelqu'un comme vous à dos. Difficilc d'être plus franc.

Elle sortit un minuscule stylo doré, griffonna quelques chiffres et déposa un baiser sur l'une de mes cartes avant de me la rendre, ornée d'une trace de rouge à lèvres.

— Magnifique.

Je repris ma carte.

— Moi, je dirais plutôt effrayant.

83

Le lendemain après-midi, j'eus la surprise d'être contacté par l'un des avocats de Tony Nicholson. Ce n'était pas l'intello au nœud papillon et aux bretelles de l'autre soir, mais quelqu'un d'autre. Il donnait l'impression d'être encore plus cher, et l'indicatif qui s'affichait sur mon téléphone était le 202. Le cœur du cœur de la capitale.

— Inspecteur Cross, je suis Noah Miller, du cabinet d'avocats Kendall et Burke. Je crois que vous connaissez mon client, Anthony Nicholson ?

— J'essaie de le voir depuis la semaine dernière. J'ai laissé une demi-douzaine de messages à l'intention de *Anthony*.

— Chez Nyth-Klein ?

— Exact.

— En fait, ils représentent la société et ses avoirs en Virginie. C'est nous qui défendons désormais les intérêts de M. Nicholson lui-même, ce qui m'amène à la raison de cet appel. Je tiens à souligner que je vous contacte à l'initiative de mon client, qui ne souhaite pas, en l'espèce, s'en remettre à notre conseil.

Voilà qui était intéressant.

— Quand pourrai-je le voir ?

— Vous ne le verrez pas. Je ne vous appelle pas pour cela. Écoutez-moi attentivement. J'ai une clé de coffre à vous délivrer, si vous voulez bien passer la prendre. M. Nicholson affirme que c'est important pour votre enquête. Il est convaincu, par ailleurs, qu'il a plus de chances de rester en vie s'il est entre les mains de la police de Washington. Il refuse de traiter avec le FBI.

Tout en l'écoutant, je lançai une recherche sur Google.

— J'ai déjà ouvert le coffre de Nicholson, répondis-je.

La page d'accueil de Kendall et Burke apparut. C'était un cabinet important et réputé, installé sur K Street.

— Oui, je sais, mais il s'agit d'un autre coffre, dans la même banque.

Mes doigts se figèrent au-dessus du clavier. Que contenait ce second coffre ? Et surtout, comment protéger Nicholson ? Contre qui ?

— Puis-je supposer que vous viendrez chercher cette clé aujourd'hui ? poursuivit Miller.

— Absolument, mais j'ai des questions à vous poser. Pourquoi la police ? Pourquoi moi ? Pourquoi Nicholson refuse-t-il de confier cela au FBI ?

— Très franchement, mon client se méfie des personnes qui le détiennent et, pour ne rien vous cacher, il met en doute l'honnêteté de leur enquête. Une dernière chose : il tient à s'assurer qu'on lui saura gré de sa coopération.

Il y avait de quoi sourire. Étrange. Je me retrouvais brusquement du même côté de la barrière que Tony – pardon, Anthony – Nicholson. Tout laissait penser que ce monsieur était en train de devenir aussi parano que moi, et peut-être à juste titre.

— Au 22 K Street, troisième étage ? fis-je tout en imprimant une capture d'écran.

— Excellent, *inspecteur* Cross. Venez entre 13 h 30 et 14 heures. Après, je ne serai plus là.

— On se voit à 13 h 30, dis-je.

Et je fus le premier à raccrocher.

84

J'eus vite fait de récupérer la clé de Nicholson chez Kendall et Burke, et il ne me fallut guère plus de temps pour aller à l'Exeter Bank et en ressortir. L'avocat, Noah Miller, et la directrice de l'établissement, Mme Currie, semblaient rivaliser : c'était à qui se débarrasserait de moi le plus rapidement. Ce qui me convenait très bien.

Sans surprise, le second coffre ne renfermait qu'un disque, vierge de toute inscription. Sitôt en possession de mon maigre butin, je filai au Daly Building. Coup de fil à Sampson. Il était déjà sur place.

En arrivant, je le découvris en train de se balader sur Internet, les pieds sur mon bureau.

— Tu savais que Zeus était surnommé « le Rassembleur des Nuées » ? Ses symboles sont l'éclair, l'aigle, le taureau et le chêne. Ah, il était aussi pédéraste. Enfin, c'est ce qu'on raconte.

— Passionnant. Vire tes pompes de mon bureau et passe-moi ça.

Je lui tendis le DVD et refermai la porte.

— Qu'est-ce que c'est ?

— Tony Nicholson semble considérer que c'est son assurance-vie.

Quelques secondes plus tard, les premières images apparaissaient.

Je reconnus immédiatement la chambre de l'appartement aménagé dans l'ancienne remise, à Blacksmith

Farms. Le lit était fait, cette fois, et il y avait quelques babioles.

En bas de l'écran, en incrustation, figuraient l'heure et la date de l'enregistrement : 1 h 20, le 20 juillet de l'année précédente.

— Peut-on trafiquer les dates ?

— Sûrement, répondit Sampson. Pourquoi ? Tu penses que Nicholson cherche à t'embrouiller ?

— Peut-être. Sans doute. Il est trop tôt pour savoir.

Au bout d'une trentaine de secondes, l'image sauta. L'horloge affichait désormais 2 h 17.

Cette fois, il y avait une fille sur le lit. Vêtue en tout et pour tout d'un slip de dentelle noire, elle avait les bras en l'air, attachés aux montants par des menottes noires, et les jambes écartées à l'extrême.

Il n'y avait pas de son, mais sa façon de se tortiller s'apparentait plus, selon moi, à un jeu de séduction qu'à une réaction de peur ou de défense. J'avais pourtant l'estomac noué, car je redoutais ce qui m'attendait.

Un homme entra dans le champ de la caméra, un vrai fétichiste affublé d'une tenue SM complète. Pantalon et chemise à manches longues en vinyle ou en latex, grosses bottes et cagoule zippée. Tout ce que je pouvais dire, c'est qu'il était grand et musclé.

— Il sait qu'il y a une caméra, murmura Sampson. Il voulait peut-être que ce soit enregistré.

— Contentons-nous de regarder, John.

Je n'étais guère d'humeur à parler. Je songeais déjà à ce qu'avait subi Caroline, peut-être dans cette même pièce, peut-être des mains mêmes de l'homme que nous étions en train d'observer.

Zeus – s'il s'agissait de lui – se pencha sur la fille pour lui mettre sur les yeux un masque de nuit en forme de haricot.

— Il a une bague à la main droite, observai-je.

On aurait dit une de ces chevalières arborées par les anciens étudiants de certaines universités en signe de reconnaissance, mais l'image n'était pas assez nette pour me permettre d'en distinguer les détails.

Il prenait son temps. Il sortit d'autres objets de la commode, dont une barre d'extension qu'il attacha aux chevilles de la jeune femme, et un petit flacon brun. Du nitrite d'amyle, peut-être.

Il le passa sous son nez. Elle devint écarlate, puis se mit à dodeliner de la tête.

Suivit l'acte sexuel. Le type se maintenait d'une main, tout en tenant la gorge de la fille pour contrôler sa respiration. Asphyxie érotique.

La fille jouait le jeu sans donner de signes de détresse, ce qui, nous, au contraire, nous stressait. Puis, au moment de l'orgasme, le type se redressa brusquement en levant le poing comme s'il venait de remporter une victoire.

Après quoi il s'appuya de tout son poids sur la gorge de la jeune femme. La malheureuse se mit à tressauter désespérément, les jambes agitées de spasmes. Scène d'horreur, sous notre regard impuissant.

Plus la jeune femme tentait de se débattre, plus son bourreau semblait y prendre du plaisir et, quand elle cessa de bouger, il embrassa enfin son corps sans vie.

— Oh, putain, grommela Sampson. Quel monde de dingues…

Puis l'assassin descendit du lit sans s'attarder, sans se livrer au moindre geste fétichiste, pour s'éclipser de la pièce presque aussitôt.

Vingt secondes plus tard, fin de l'enregistrement.

— Viens, John. Allons à Alexandria. Il faut qu'on sache s'il s'agissait de Zeus.

85

Au centre de détention d'Alexandria, nous connaissions le chemin par cœur. Entrée des visiteurs, passage devant la salle des fichiers et la porte 15, celle des libérés, puis arrivée au centre de commandement.

Là, nous n'eûmes plus qu'à montrer nos plaques de police pour franchir deux autres portes blindées et accéder au greffe.

Le plus facile était fait.

Comme d'habitude, trois gardiens étaient en poste. Deux d'entre eux, qui devaient approcher la cinquantaine, traînaient dans le fond de la salle. Le plus jeune était de corvée. À lui de gérer les arrivées. Quand il ouvrit la bouche, je vis briller une dent en or.

— Motif ?

— Inspecteurs Cross et Sampson, police de Washington. Nous avons besoin d'une autorisation de garde à vue provisoire pour deux détenus, Anthony Nicholson et Mara Kelly.

— Vous avez fait la demande ?

Il avait déjà décroché son téléphone.

— On les a déjà interrogés. Juste quelques questions supplémentaires à leur poser, et on s'en va.

Autant tenter le coup. Ça pouvait passer, s'ils n'étaient pas trop à cheval sur la procédure.

Le coup de fil fut bref. Le bleu raccrocha en secouant la tête.

— Bon, premièrement, vous n'avez pas déposé de demande pour aujourd'hui et, deuxièmement, ça n'a aucune importance, de toute façon. Ils sont sortis, tous les deux, Nicholson et Kelly.

Je n'en croyais pas mes oreilles.

— Sortis ? Pitié, dites-moi qu'on les a transférés.

— Non, je veux dire *sortis*. (Il ouvrit un registre noir.) Oui, voilà. Aujourd'hui à 11 heures. Un dénommé Miller a déposé – oh là ! – un demi-million de dollars en espèces, pour les deux cautions.

Le chiffre fit réagir ses deux collègues, qui vinrent jeter un œil par-dessus son épaule.

L'un se contenta d'émettre un sifflement.

— Sympa, commenta l'autre.

— Tu parles.

Ils n'y étaient pour rien, mais je n'avais pas d'autres interlocuteurs sous la main.

— C'est quoi, ce bordel ? Le risque que Nicholson prenne la fuite est énorme. Personne ne s'est donné la peine de vérifier ? Le jour de son arrestation, il avait des billets d'avion !

Le jeune me regardait, les autres avaient la main sur leur matraque.

— Je ne dis pas le contraire, mais il faut que vous reculiez. Tout de suite.

Sampson me tira par l'épaule.

— Inutile de gaspiller ta salive ici, Alex. Viens, on y va. Nicholson et la fille ont mis les voiles.

— C'est une catastrophe, John.

— Je sais, mais on n'a plus rien à faire ici, maintenant. Viens.

Je me laissai entraîner, mais j'aurais payé cher pour expédier une bonne droite à quelqu'un. Tony Nicholson, pour commencer. Ou l'avocat, ce péteux de Miller.

En partant, j'entendis les gardiens évoquer leurs ex-détenus.

— Enfoirés de riches. Eux, ils ont toujours les moyens de s'en sortir.

— Tu m'étonnes. Comme on dit, les riches sont de plus en plus riches, et les pauvres...

— Travaillent ici.

Et je les entendis encore rire.

86

Quel invraisemblable merdier ! J'ignorais si Nicholson avait ou non puisé dans ses propres fonds pour payer sa caution, mais il avait bien fallu qu'il trouve un juge fédéral pour signer l'ordonnance de mise en liberté, et quelqu'un d'encore plus haut placé pour négocier l'opération.

Décidément, cette sale affaire prenait tous les jours de nouvelles proportions et, à dire vrai, j'étais impressionné, plus que choqué, par les moyens mis en œuvre pour l'étouffer. Pire, quelque chose me disait que c'était loin d'être fini.

Il ne nous restait plus qu'à filer chez Nicholson, puis chez Mara Kelly.

Sans surprise, nous découvrîmes des scellés de police sur les portes. Rien n'indiquait que quelqu'un était passé au cours des deux derniers jours et, de toute manière, même si ça avait été le cas, Nicholson et Kelly devaient être bien loin maintenant. À mon avis, nous risquions de ne plus jamais les revoir.

Avant de reprendre l'autoroute, je demandai à Sampson de s'arrêter dans une station Exxon, près du domicile de Mara Kelly, le temps d'acheter un petit Nokia prépayé à trente-neuf dollars pour appeler le numéro récupéré la veille.

Wylie Rechler décrocha à la première sonnerie.

— Jenna. Dites-moi tout.

— Jenna, c'est l'inspecteur Cross, Alex Cross. On s'est vus hier, à Friendship Heights. Prête à vous jeter à l'eau ?

Petit cri de surprise, très théâtral.

— Mon cher, je l'étais la dernière fois que nous avons bavardé. Que me proposez-vous ?

— Avez-vous déjà entendu parler d'un certain Tony Nicholson ?

— Je ne crois pas. Non, ça ne me dit rien du tout. Je devrais le connaître ?

— Ce monsieur a un petit carnet noir que vous seriez ravie de feuilleter, si tant est qu'on le retrouve. Jusqu'à 11 heures, ce matin, il était incarcéré dans une prison fédérale. Il vient d'être libéré sous caution et en ce moment, à mon avis, il s'apprête à quitter le pays. Avec le petit carnet noir.

— Qu'est-ce que cela implique, pour moi ?

— Vous avez beaucoup à gagner, Jenna. À condition que vous m'aidiez. Je voudrais que vous passiez un coup de fil à Sam Pinkerton, au *Washington Post*, pour lui mettre la puce à l'oreille. Pourriez-vous faire ça ?

— Je pense que oui. (Elle s'interrompit, puis baissa le ton.) Sam couvre l'actualité de la Maison-Blanche. Vous le savez, je suppose ?

— Exact.

— Oh, mon Dieu ! Je suis tout excitée ! Excusez-moi. D'accord, et qu'est-ce que M. Pinkerton va m'apporter, quand je l'appellerai ? Si je l'appelle.

— Peut-être rien dans l'immédiat, avouai-je, mais à vous deux, vous pourriez faire une belle équipe sur ce coup-là. Vous auriez un champ d'action beaucoup plus étendu.

— Je crois que je vous aime, inspecteur.

— Autre chose. Sam me déteste. Je pense qu'il sera bien mieux disposé à votre égard si vous ne parlez pas de moi.

Dès que j'eus raccroché, Sampson me regarda d'un air perplexe.

— Je croyais que Sam Pinkerton était l'un de tes amis.

Je mis mon nouveau téléphone dans la même poche que l'ancien.

— Justement, je veux faire en sorte qu'il le reste.

87

J'avais encore un rendez-vous, cet après-midi-là. Sampson accepta de me déposer.

Hilton Felton, l'un des enfants chéris de Washington, qui comptait également parmi les personnes que j'appréciais le plus, était mort quelque temps auparavant, alors qu'il n'avait que soixante ans. J'avais passé je ne sais combien de nuits à l'écouter chez Kinkead's, à Foggy Bottom. Il était le pianiste de la maison depuis 1993, et ses amis avaient organisé un concert en sa mémoire.

Nous étions environ cent cinquante, un peu serrés, tous venus rendre hommage à Hilton et, bien sûr, écouter ses amis musiciens interpréter son répertoire. Ce fut un grand moment, magique et serein à la fois, et seul Hilton lui-même aurait pu faire mieux.

Quand Andrew White se leva pour jouer l'une de ses compositions originales, j'eus comme un pincement au cœur. J'avais eu le privilège de connaître l'homme qui avait créé ce morceau, mais j'étais immensément triste à l'idée de ne plus jamais l'entendre jouer comme seul Hilton savait le faire.

Hilton Felton me manquait énormément, et pendant toute la durée de l'hommage, je ne pus m'empêcher de penser aussi à Nana Mama. C'était elle qui, la première, m'avait emmené ici et me l'avait fait découvrir.

88

Après ma petite halte sentimentale chez Kinkead's, je pris un taxi pour rentrer à la maison. J'avais prévu de travailler quelques heures, mais vers 23 heures, craignant sans doute que je ne m'ennuie, Bree monta me voir pour m'annoncer que nous avions de la visite.

— Alex, il y a un monospace Ford Explorer garé en face depuis une heure, avec deux types à l'intérieur. Ils ont posé leurs gobelets sur la planche de bord, ils ne bougent pas, ils regardent la maison. C'est peut-être toi qu'ils surveillent.

Bree ayant un flair infaillible, je compris que nous avions un nouveau problème. Je pris mon holster et mon Glock, et enfilai un blouson par-dessus.

En descendant, je me glissai dans la chambre de Damon pour emprunter sa batte de base-ball. Une bonne vieille Louisville Slugger en bouleau, pas en alu.

— Surtout, tu ne sors pas, dis-je à Bree. S'il y a un problème, tu appelles le central.

— S'il y a un problème, j'appelle le central et je sors.

J'ouvris la porte et dévalai le perron. L'Explorer était garé de l'autre côté de la rue, presque en face de la maison. Le type qui était au volant sortit au moment même où je fracassai son feu arrière gauche.

Il se mit à hurler :

— Qu'est-ce qui vous prend ? Vous êtes malade, ou quoi ?

Il était du genre costaud. Crâne rasé, nez cassé, et pas qu'une fois. Je m'attendais à avoir affaire à un agent du gouvernement, mais lui, il avait plutôt le profil d'un détective privé trouvé dans les Pages jaunes.

— Qu'est-ce que vous fichez, à surveiller ma baraque ? Qui êtes-vous ?

Son comparse sortit à son tour, mais tous deux gardèrent leurs distances.

— Alex ? (Bree était sortie.) Tout va bien ?

— Oui, oui. Plaques de Washington, numéro DCY 182.

— Je note.

Le chauve écarta les bras, paumes sur la défensive.

— Calmez-vous, on sait que vous êtes flic !

— Je me calmerai quand vous me direz ce que vous foutez devant mon domicile !

— Rien de méchant, d'accord ? Je ne suis même pas armé. (Il ouvrit sa surchemise.) On nous a engagés pour vous surveiller, c'est tout.

Je levai ma batte.

— Pour me surveiller, moi, ou moi et ma famille ?

— Vous. Juste vous.

Je ne savais pas si c'était vrai ou s'il me servait simplement ce que j'avais envie d'entendre.

— Pour qui travaillez-vous ?

— On ne sait pas. Je vous assure. La mission est payée en espèces. Tout ce que je sais, c'est votre description et ce que vous avez fait aujourd'hui.

Une réponse qui n'était pas de nature à me calmer. Le second feu arrière vola en éclats.

— Et qu'est-ce que j'ai fait, aujourd'hui ?

— Vous enquêtez sur une affaire de meurtre pour la police de Washington. Il y a un rapport avec un type qui est en taule à Alexandria. Et arrêtez de bousiller ma bagnole, putain !

Un tournant venait d'être franchi, dans cette affaire, et je devais bien admettre que le coup était rude. Les gens que je traquais s'étaient mis eux-mêmes à me traquer.

— Vous savez, vous devriez être plus prudent, me lança le second privé.

Je fis un pas vers lui.

— Et pourquoi cela ?

— Ce n'est pas de nous que vous devez vous méfier. Je ne sais pas qui sont ces types, ni ce qu'ils veulent vous empêcher de faire, mais ils ont le bras long. C'est tout ce que je peux dire. Vous en faites ce que vous voulez.

— Merci pour la mise en garde. (J'indiquai le haut de la rue.) Maintenant, vous dégagez. Si je vous revois dans le coin, je vous arrête et je fais embarquer la voiture, d'accord ?

— Nous arrêter ? (L'autre, sentant qu'il ne risquait plus rien, s'enhardissait.) J'aimerais bien savoir pourquoi.

— Je suis flic, n'oubliez pas. Je trouverai bien quelque chose.

— Et on fait quoi, pour ma bagnole ? Il y en a au moins pour cinq cents dollars de réparations.

— Vous n'aurez qu'à facturer ça à vos clients. Ils ont les moyens, croyez-moi.

89

Le lendemain matin, Ramon Davies demanda à me voir. Un agent m'attendait même devant la porte de mon bureau pour m'accompagner.

— Que me veut-il ?

Plusieurs hypothèses me venaient à l'esprit, plus noires les unes que les autres. Avait-on retrouvé d'autres corps ?

— Je ne sais pas, monsieur. Il veut vous voir, c'est tout ce qu'il m'a dit.

Il paraît que Woody Allen laisse carte blanche à ses acteurs tant que tout se passe bien et ne les dirige que lorsqu'il y a un problème. Davies est un peu comme cela. J'ai horreur de devoir répondre à ses convocations.

Il n'était pas seul à m'attendre. À ses côtés, il y avait le type que j'avais vu à la Maison-Blanche, mais dont j'ignorais toujours le nom.

— Alex Cross, je vous présente l'agent principal Dan Cormorant, du Secret Service. Il aimerait s'entretenir avec vous.

C'était lui qui avait accompagné la présidente Vance dans le bureau du secrétaire général, lors de ma brève visite. S'il était là, ce ne pouvait être qu'à la demande de Madame.

— On s'est déjà croisés, dis-je en lui serrant la main. Je suppose que vous n'avez rien à voir avec les deux privés garés devant chez moi, la nuit dernière ?

— Je ne vois pas de quoi vous parlez.

— Ben voyons.

— Alex, intervint Ramon, mettez-la en veilleuse, et venons-en au fait.

Nous nous assîmes face à lui.

— Je ne m'attarderai pas sur les circonstances qui ont motivé cette réunion. (Ce qui signifiait que nous en parlerions plus tard, en privé.) Mais je vais vous dire ce qui va se passer maintenant. Alex, vous allez vous mettre à la disposition de l'agent Cormorant et lui fournir tous les éléments d'enquête dont il aura besoin. Lorsque ce sera terminé, vous viendrez m'informer que vous êtes prêt à assurer une nouvelle mission. J'ai un quadruple meurtre, à Cleveland Park, qui vous tend les bras. Grosse affaire, beaucoup de victimes...

Je l'écoutais tout en ayant l'esprit ailleurs. Ramon devait être dans ses petits souliers face à ce type qui lui avait été imposé, sans doute par le chef de la police lui-même. C'était la première fois qu'il s'adressait à moi sur ce ton, mais mieux valait mettre un mouchoir sur ma susceptibilité en attendant de savoir ce que Cormorant mijotait.

La réunion s'acheva peu après, et l'agent m'accompagna jusqu'à mon bureau.

— Depuis combien de temps êtes-vous chargé de la protection de la présidence ? lui demandai-je. On vous a tous triés sur le volet.

Il ne répondit pas directement à ma question.

— Je fais partie du Secret Service depuis huit ans. Avant, j'étais dans la police, à Philadelphie. Et soit dit en passant, je sais parfaitement que vous donneriez tout pour ne pas m'avoir dans vos pattes.

J'aurais pu saisir la balle au bond.

— Alors, où en êtes-vous avec Tony Nicholson ? Où est-il en ce moment même ? Si vous me permettez de poser la question.

Il sourit.

— Et vous, que savez-vous, pour l'instant ?

— Je sais qu'il était à la prison d'Alexandria jusqu'à 11 heures, vendredi matin, et que depuis, nous n'avons plus de nouvelles.

— Nous en sommes donc au même point, vous et moi. C'est en partie la raison de ma présence. Cette histoire est extrêmement mystérieuse, inspecteur Cross. Et dangereuse.

Il me paraissait moins coincé que bon nombre de ses collègues – enfin, ceux que je connaissais –, mais tout est relatif. Et la question demeurait : était-il venu pour poursuivre l'enquête ou, au contraire, l'enterrer ?

Une fois dans mon bureau, je pris le DVD de Nicholson pour le lui donner.

— Le FBI a presque toutes les pièces à conviction, mais ça, c'est nouveau.

Il le retourna.

— Qu'est-ce que c'est ?

— Est-ce que le nom « Zeus » vous dit quelque chose ? Je parie que oui.

Il me regarda, sans répondre.

— Cormorant, voulez-vous que je vous aide, ou pas ? J'aimerais bien, croyez-moi.

— Oui, j'ai entendu parler de Zeus.

— C'est censé être lui. Sur le disque.

— Censé ?

— Il s'agit d'un meurtre. Agresseur blanc, avec une bague très caractéristique à la main droite. Pour l'instant, je ne privilégie aucune hypothèse, et vous devriez en faire autant.

Voilà le genre de commentaire que je dois encore apprendre à garder pour moi. Je vis Cormorant se raidir.

— Qu'avez-vous d'autre ? Il faut que je sache tout, inspecteur.

— J'ai besoin d'un peu de temps pour rassembler mes notes, mais vous aurez tout d'ici à demain.

Il brandit le DVD.

— Et des copies ? Il y en a combien qui se baladent ?

— C'est le seul exemplaire que je connaisse. On l'a récupéré dans le coffre de Nicholson, à la banque. Il le conservait comme monnaie d'échange. Évidemment, si on arrivait à remettre la main sur Nicholson lui-même…

— Entendu. (Il me serra la main.) On se reparle bientôt.

Après son départ, je me repassai le film de l'entretien pour noter tout ce dont je me souvenais. Combien de fois Cormorant m'avait-il déjà menti ? Et de même, combien de fois devrais-je moi aussi mentir, comme je venais de le faire à propos du disque, avant la fin de cette affaire ?

90

J'étais devenu tellement parano que je ne me servais plus de mon téléphone personnel. J'achetais des portables prépayés et je changeais de numéro tous les deux jours, ou presque.

Après ma réunion avec Cormorant, je courus m'en procurer un autre pour appeler Sam Pinkerton, au *Washington Post*.

Sam et moi fréquentons la même salle de sport, et c'est ainsi qu'on s'est rencontrés. Il pratique surtout le karaté *shotokan* alors que je m'en tiens à la boxe classique, ce qui ne nous empêche pas de nous entraîner ensemble de temps en temps et, parfois, de boire un coup. L'appeler pour lui demander s'il avait envie de prendre un verre avec moi, vite fait, à l'Union Pub, en sortant du journal, n'avait donc rien d'extraordinaire.

Je passai le reste de l'après-midi à courir après l'ombre de Tony Nicholson, sans vraiment réussir à glaner quoi que ce soit de nouveau.

Et peu après 17 heures, je remontai Louisiana Avenue à pied pour rejoindre Columbus Circle, où j'avais rendez-vous avec Sam.

Autour d'une bière, il fut question de tout et de rien, chacun prenant des nouvelles de l'autre, comment allaient les enfants, ce que nous pensions des coupes dramatiques que la ville comptait faire dans le budget de l'école publique, et même la météo. Quel plaisir de bavarder tranquillement quelques instants ! Ces derniers temps, je n'avais guère eu le loisir de mener une vie normale.

À la deuxième tournée, la conversation commença à s'animer et à se préciser.

— Alors, lui dis-je, qu'est-ce que tu nous mijotes, ces jours-ci, au journal ?

Il s'adossa dans le box et me regarda, tête penchée sur le côté.

— Ça y est, la réunion vient de débuter ?

— Ouais. Je suis sur une enquête et j'essaie de prendre la température ici et là.

— Quand tu dis là, tu veux dire *là-bas* ? (Il indiqua d'un geste vague la Maison-Blanche, son territoire, à quelques rues du bar.) Tu veux parler du calendrier législatif ou d'autre chose ? Je crois que je connais déjà la réponse.

— D'autre chose.

— J'imagine que tu ne fais pas allusion à la soirée que la Présidente organise à l'occasion de son soixantième anniversaire.

— Sam...

— Parce que je peux te faire inviter, si ça t'intéresse. Le buffet sera d'enfer. Tu aimes Norah Jones ? Elle donnera un concert privé. Et il y aura aussi Mary J. Blige.

Il savait qu'il me rendait service et tenait à me faire mariner un peu avant de lâcher le morceau.

— Bon, d'accord, j'ai quelque chose. Tu connais le blog *Les Indiscrétions de Jenna* ? J'ai reçu un coup de fil, l'autre jour, de Jenna en personne. Alors, c'est vrai, avec ce genre d'infos, il faut toujours se méfier de la source, mais disons simplement qu'elle m'a branché sur un truc assez gratiné. Je ne peux pas entrer dans le détail maintenant. Dans deux jours, tu auras peut-être envie de me payer un autre verre. (Il vida le sien.) Sauf si tu acceptes de me dire sur quel genre d'affaire tu bosses en ce moment.

— *No comment*. C'est trop tôt.

Mission accomplie, me dis-je. Quoi qu'il arrive désormais, la machine était lancée. Elle poursuivrait sa course avec ou sans moi.

— Une dernière chose, ajoutai-je. Ça va te paraître un petit peu saugrenu...

— J'adore quand ça commence comme ça.

Il fit tournoyer son doigt pour que la serveuse nous remette la même chose.

— Il faut que ça reste entre nous. S'il m'arrive quoi que ce soit dans les jours ou dans les semaines qui viennent, je veux que tu fasses ta petite enquête.

Interloqué, il me dévisagea.

— Tu déconnes, Alex.

— Je sais que c'est bizarre de dire ça. Plus que bizarre, même.

— Mais tu n'as pas, je ne sais pas, moi, toute la police de la ville derrière toi ?

— Tout dépend de ce qu'on entend par « derrière soi ».

La nouvelle tournée arriva.

— Disons juste que je suis en train d'appeler du renfort.

91

Deux semaines plus tôt – non, la semaine d'avant, en fait –, Tony Nicholson faisait péter des bouteilles de champagne à cinq cents dollars quand il avait soif. Et maintenant, il était là, en train de poireauter sur le parking d'un relais routier pourri de la I-95 comme un clandestin du tiers-monde cherchant à se barrer.

Mara l'attendait à l'intérieur, elle le regardait depuis la vitrine du Landmark Diner. Quand il se retourna, elle tapota son poignet et haussa les épaules, comme s'il avait oublié qu'ils n'étaient pas censés traîner ici.

Inutile de le lui rappeler.

C'était ça, ou rien, ou pourrir dans une cellule à Alexandria. Là, au moins, ils pouvaient espérer récupérer des passeports, des billets d'avion et suffisamment de liquide pour quitter une fois pour toutes ce continent plastifié.

Mais le contact était en retard, et la parano de Nicholson montait d'un cran à chaque minute. Pour ne rien arranger, avec cette pluie et ce froid, son genou amoché l'élançait horriblement. Il était debout depuis trop longtemps.

Au bout d'un moment, il vit enfin quelque chose bouger. À l'autre bout du parking, une espèce de fourgonnette lança un appel de phares et, quand Nicholson regarda, le conducteur lui fit signe d'approcher.

Et il insista, d'un geste pressant.

Nicholson sentit son sang se glacer. Quelque chose ne collait pas. Il attendait une voiture, pas une fourgonnette, et le point de rendez-vous était censé être à l'endroit où il se tenait, où on pouvait les voir. Où il ne risquait pas d'avoir une mauvaise surprise.

Trop tard. Quand il se retourna, Mara avait disparu. À la même place, les mains autour des yeux, un gamin l'observait, façon remake du *Village des damnés*.

Le cœur palpitant, Nicholson indiqua au conducteur qu'il revenait tout de suite et clopina vers la porte aussi vite qu'il le pouvait sans attirer l'attention.

À l'intérieur, restaurant et kiosque à journaux étaient quasiment déserts. Pas de trace de Mara.

Un bref coup d'œil dans les toilettes des femmes, inoccupées, lui confirma ce qu'il savait déjà : il était désormais seul en lice. Il sortit par l'issue de secours.

Sur le parking, de ce côté-là, il n'y avait pas âme qui vive. Nicholson avait garé sa voiture de location à une cinquantaine de mètres. Cinquante mètres de trop, sans doute. En regardant par-dessus son épaule, il vit quelqu'un sortir, comme lui, par l'issue de secours. Le type à la fourgonnette, peut-être, ou peut-être pas. Difficile à dire, avec tout ce vent et cette petite pluie fine.

Il prit la fuite en boitillant, souffrant le martyre chaque fois qu'il posait le pied, mais les pas qui claquaient derrière lui sur le bitume détrempé étaient plus rapides que les siens.

Du coin de l'œil, il vit la camionnette faire le tour du parking. Sur le flanc, il eut le temps de lire « Pete's Meat ». Une boucherie. Quel sens de l'humour...

Putain, je suis fichu. Mara aussi. Elle est peut-être déjà morte.

Il avait réussi à mettre une main sur la portière de sa voiture quand une main calleuse se plaqua sur sa bouche sans lui laisser le temps de crier. Dans les bras énormes du type, Nicholson se fit l'impression de n'être qu'un bambin.

L'espace d'une fraction de seconde, il crut que son cou allait se briser, mais quelque chose le transperça sous le menton et un éclair de douleur lui fit perdre tous ses repères.

Sa vue se brouilla. Un tourbillon emporta parking, ciel, voiture, puis le rideau tomba et tout disparut loin, très loin.

92

Nicholson se réveilla dans le noir, sur un sol glacé, mais il était vivant. Et entièrement nu. On lui avait attaché les poignets et les chevilles.

Une douleur atroce lui zébra la nuque lorsqu'il voulut regarder autour de lui, mais au moins, il était toujours dans le circuit et, pour l'instant, rien d'autre ne comptait.

Il y avait une espèce de petit bâtiment, derrière lui, à peine éclairé. Sinon, il ne distinguait que des ombres, des arbres. Un tas de bois de chauffage, peut-être. Et un engin bizarre près de la baraque. Une souffleuse à neige ? Une tondeuse ?

— Ça y est, il se réveille, fit une voix, non loin.

Il entendit des pas, un bruit de seau d'eau, puis le faisceau d'une lampe torche balaya le sol. Il vit une paire de pieds dans de belles bottines en cuir sombre.

— Ravi de te revoir, Tony ! On croyait t'avoir perdu, et te revoilà !

Quand l'eau le gifla, ce fut comme s'il venait d'être électrocuté. Saisi par le froid, il se mit à haleter frénétiquement.

— Relevez-le, ordonna quelqu'un.

Ils le soulevèrent sous les épaules jusqu'à ce qu'il se retrouve, cul nu, sur une chaise en bois. Le faisceau de la torche glissa sur un visage, une souche d'arbre, une lueur argentée dans une main. Une arme à feu ? Un téléphone ?

Une image lui traversa soudain l'esprit.

— Où est Mara ? articula-t-il péniblement.

— Ne t'inquiète pas pour elle. Je t'assure que c'est le dernier de tes problèmes, en ce moment.

— Nous avions un accord ! (Il était pathétique, et s'en rendait bien compte.) Et les promesses, alors ? J'ai fait exactement ce qu'on m'avait demandé !

Quelque chose de pointu le piqua au sommet du crâne.

— Qui d'autre est au courant pour Zeus ? demanda l'un des types d'un ton parfaitement neutre, comme s'ils conversaient.

— Personne ! Je vous le jure ! Personne n'est au courant. J'ai rempli ma part du contrat. Comme Mara !

Un picotement, presque une brûlure, courut de son oreille à sa nuque. Et aussitôt la brise lui fit l'effet d'un jet d'acide.

— Même pas Adam Petoskey ? Même pas Esther Walcott ?

— Non ! Enfin... peut-être qu'ils ont fini par deviner, plus ou moins. Adam n'était plus aussi prudent, à la fin, qu'au début, mais je vous jure devant Dieu que...

Deux autres coups lui entaillèrent le torse et le ventre. Nicholson cria chaque fois.

Il rentra le ventre comme s'il s'imaginait pouvoir empêcher la lame de poursuivre lentement son chemin vers le bas, séparant la peau de la peau, pour s'arrêter à quelques millimètres de sa queue.

— Qui d'autre, Nicholson ? Si t'as envie de parler, là, c'est le bon moment !

— Personne ! Non, pitié, pas ça !

Il pleurait à présent, il gémissait sans retenue. C'était tellement injuste. Lui, qui avait passé sa vie d'adulte à troquer des mensonges contre d'autres, se retrouvait piégé par la vérité.

— J'ignore ce que vous voulez, bafouilla-t-il. Je ne sais rien de plus...

Une troisième voix émergea de l'obscurité. Elle était différente des autres, avec son fort accent sorti tout droit d'un épisode de *Shérif, fais-moi peur !*, cet accent que Nicholson avait en horreur depuis son arrivée aux États-Unis.

— Hé, les gars, faudrait peut-être se magner le train. C'est que j'ai encore du pain sur la planche, moi.

Et Nicholson abandonna alors sa dernière pièce, son assurance-vie. Du moins l'espérait-il.

— J'ai donné un DVD aux flics. Zeus était dessus. C'est l'inspecteur Alex Cross qui l'a !

93

Il faut ce qu'il faut. L'une des expressions préférées de Nana, devise des entêtés autant que des optimistes, me revenait continuellement à l'esprit. Pas question de laisser tomber mon enquête, pas question de laisser tomber Nana.

Le service des soins intensifs de l'hôpital St. Anthony, dont l'adresse, Five West, tenait lieu de surnom, n'avait plus beaucoup de secrets pour moi. Je connaissais maintenant tout le personnel soignant et même les proches de certains patients. En fait, j'étais dans le couloir, ce soir-là, en train de discuter avec une jeune femme dont le père avait subi un traumatisme crânien, quand l'alarme retentit dans la chambre de Nana.

À Five West, les alarmes n'étaient pas forcément synonymes de problèmes graves. Elles se déclenchaient tout le temps. Un capteur qui glissait, un bug électronique ou autre, et ça sonnait. Il fallait s'en tenir à un principe de base : plus la sonnerie était forte, plus elle devenait insupportable, plus on avait de raisons de s'inquiéter.

Cette fois-ci, l'alarme avait commencé en sourdine, mais à mon arrivée dans la chambre de Nana, elle me vrillait les tympans. Une infirmière, Zadie Mitchell, était déjà sur place.

— Qu'y a-t-il ? Un problème ?

Elle était en train d'ajuster l'oxymètre de pouls sur le doigt de Nana, en surveillant le tracé du moniteur, et ne me répondit pas tout de suite.

Une de ses collègues, Jayne Spahn, arriva juste après moi.

— La pléthy est mauvaise ?

— Non, répondit Zadie. Elle est correcte. Bipez Donald Hesch.

Elle régla le débit d'oxygène du ventilateur au maximum et installa une sonde d'aspiration.

Mon cœur battait violemment.

— Zadie, que se passe-t-il ?

— Elle est en train de désaturer, Alex, mais il est trop tôt pour vous inquiéter.

J'aurais aimé la croire. Malgré la ventilation, l'excès de liquide dans l'organisme de Nana empêchait son cœur de fournir l'oxygène nécessaire. C'était un peu comme si elle se noyait sous mes yeux.

Le Dr Hesch entra quelques minutes plus tard, accompagné d'un pneumologue, et tous deux se faufilèrent entre les appareils pour s'occuper de Nana. Moi, dans mon coin, je m'efforçais de suivre.

— On lui a administré un bolus ce matin parce qu'elle avait une PAM inférieure à cinquante. Depuis qu'on vous a bipé, j'aspire du mucus teinté de sang.

— A-t-on mesuré les gaz de son sang artériel aujourd'hui ?

— Non. Elle est difficile à piquer. Le dernier prélèvement remonte à avant-hier.

— Bon, vous montez à dix et vous essayez d'avoir le résultat d'ici à une heure. On verra ce que donne la dialyse demain matin. Et moi, en attendant, je vais jeter un coup d'œil sur les radios.

Hesch repartit aussi vite qu'il était venu, et Jayne me prit par le coude pour m'entraîner dans le couloir.

— Elle a passé une sale nuit, Alex, mais elle va s'en sortir.

Par la porte entrouverte, je regardais Zadie et le pneumologue s'affairer autour de Nana. Terrible sentiment d'impuissance que de ne pouvoir lui donner ce dont elle avait besoin, surtout un élément aussi fondamental que l'oxygène.

— Alex, vous m'avez entendue ?

Je me rendis compte que Jayne était toujours en train de me parler.

— Nous ne saurons rien de plus d'ici à demain matin. Quelqu'un peut venir vers 7 heures...

— Non, je vais passer la nuit ici.

Elle posa la main sur mon épaule.

— Ce n'est pas indispensable, je vous assure.

— Je comprends.

Pour moi, il ne s'agissait plus de savoir ce qui était indispensable ou pas, il s'agissait de faire des choix. Depuis dix minutes, je ne pensais qu'au pire et je me disais : et si je n'étais pas là au moment de sa mort ? Et s'il n'y avait personne à ses côtés lorsqu'elle rendrait son dernier souffle ?

Je savais que je ne me le pardonnerais jamais. Alors s'il fallait reprendre le service de nuit, je reprendrais le service de nuit.

Je ferais le nécessaire. Je serais là pour Nana.

94

Le sénateur Marshall Yarrow était en train de sortir un sac de golf de son Navigator lorsqu'il nous vit, Sampson et moi, traverser le parking du Washington Golf and Country Club. À voir sa tête, je venais de gâcher sa matinée du samedi. Mon Dieu, quelle horreur !

— Qu'est-ce que vous fichez ici ?

— Trois rendez-vous, tous annulés. Vous allez peut-être me traiter de fou, monsieur le sénateur, mais j'ai comme l'impression que vous cherchez à m'éviter.

— Et lui, c'est qui ?

Il toisa John.

— Mon équipier, l'inspecteur Sampson. Faites comme s'il n'était pas là. Il a le profil du club, vous ne trouvez pas ? Un peu comme moi. On pourrait être caddies, tous les deux.

Il ricana et fit signe à quelqu'un qui l'attendait sous la porte cochère, à l'entrée du club.

— Mike, je te retrouve à l'intérieur. Commande-moi un espresso, tu veux bien ?

Je me rendis compte après coup qu'il s'agissait de Michael Hart, sénateur de Caroline du Nord, qui était, lui, démocrate.

— Préférez-vous qu'on parle dans ma voiture ? Ou dans la vôtre ?

— Ai-je une tête à monter dans une voiture avec vous, inspecteur Cross ?

À ma grande surprise, il avait retenu mon nom.

Il se réfugia à l'abri des regards entre son 4 × 4 de luxe et un énorme Hummer H3T flambant neuf. Dans un club où le ticket d'entrée devait avoisiner les cent mille dollars, on se fichait pas mal du prix de l'essence.

— Je ne vous retiendrai pas longtemps, monsieur le sénateur, mais je voulais que vous sachiez que nous sommes un peu à court d'éléments, dans notre enquête, ce qui va sans doute nous obliger à rendre publics les enregistrements effectués par Tony Nicholson dans son établissement.

Le regard de Yarrow glissa vers Sampson. Il devait se demander si nous avions tous deux visionné ses exploits. Sa main se crispa sur le capuchon de son driver TaylorMade.

— Donc, à moins que vous n'ayez une piste à nous suggérer...

— Et pourquoi serait-ce le cas ?

— Une intuition. Je pense à tous ces rendez-vous annulés.

Il poussa un long soupir, caressa sa barbe naissante.

— Eh bien, je crois que je vais devoir confier ce dossier à mon avocat.

— Sans doute est-ce une bonne idée, mais sachez que pour nous, le samedi est un jour comme un autre et il nous faut des résultats.

Il paraissait si mal à l'aise que j'avais presque pitié de lui. Il n'avait plus aucune chance de s'en sortir indemne, et en avait conscience. Quand tout se passe bien, le type qui est au pied du mur finit par me cracher la vérité.

— À toutes fins utiles, qu'avez-vous à me proposer en matière d'immunité ?

— Rien pour l'instant. C'est le procureur qui décide.

— Évidemment. Vous n'êtes pas du genre à sortir du cadre légal, c'est ça ?

— Voici la proposition que je peux vous faire : vous nous dites ce que vous savez, et lorsque le Secret Service s'intéressera à vous, ce qui ne saurait tarder, il ne vous sera pas reproché d'avoir fait obstacle à la justice et aidé à dissimuler une série de meurtres.

J'imaginais à quel point Yarrow devait me haïr, en cet instant. Sans me quitter des yeux, il s'adressa à John.

— Dites-moi, inspecteur Sampson. Est-ce que, selon vous, votre équipier peut être qualifié de vindicatif ?

Sampson posa sa grosse main sur le toit du Navigator.

— Vindicatif ? Non, ce n'est pas le genre de Alex. Moi, je dirais plutôt réaliste. Vous auriez peut-être intérêt à suivre son exemple.

Je crus, tout d'abord, que le sénateur Yarrow allait nous fausser compagnie, voire péter les plombs et s'emparer d'un de ses clubs de golf. En fait, il se borna à mettre la main dans sa poche, et les portes du 4 × 4 se déverrouillèrent.

— Montez.

95

L'intérieur cuir du Navigator empestait le café et la cigarette. J'aurais pourtant davantage imaginé Yarrow en fumeur de cigares.

— Commençons par une mise au point, lui dis-je. Étiez-vous, oui ou non, un client de ce club ?

— Question suivante.

— Vous saviez que des filles travaillant pour cet établissement avaient été assassinées.

— Non, c'est faux. Quand toute cette histoire a éclaté, j'en étais seulement à soupçonner qu'il y avait un problème.

— Et que comptiez-vous faire de vos informations ? Enfin, de vos soupçons ?

Il se tourna brusquement, pointa l'index sur moi.

— Ne m'interrogez pas, Cross. Je suis un sénateur américain, pas un petit truand de Southeast.

— Justement, monsieur Yarrow. Vous êtes un sénateur américain, vous êtes censé avoir une conscience. Alors, avez-vous quelque chose à nous donner, ou non ?

Il marqua une pause, le temps de sortir un paquet de Marlboro Red de la console centrale. La flamme de son briquet en or estampillé « Sénat » tremblait.

Il tira deux longues bouffées, puis reprit la parole, en regardant droit devant lui.

— Il y a un type que vous devriez aller voir. Il s'appelle... Remy Williams. Selon moi, il est lourdement impliqué dans cette affaire.

— Qui est-ce ?

— Bonne question. Il me semble qu'il a appartenu au Secret Service.

Coup de tonnerre.

— Le Secret Service ? Et quelles étaient ses fonctions ?

— Il faisait partie du service de protection.

— De la Maison-Blanche ?

Yarrow fumait sans discontinuer, et les phalanges de la main qu'il gardait crispée sur le volant étaient devenues blanches.

— Oui, répondit-il dans un panache de fumée. De la Maison-Blanche.

Sampson, qui m'observait par-dessus l'appuie-tête, devait se poser la même question que moi. Était-ce le fameux lien avec la Maison-Blanche dont nous avions déjà eu vent, ou s'agissait-il d'une simple coïncidence, de ces coïncidences qui plombaient régulièrement nos enquêtes ?

Le sénateur Yarrow poursuivit sur sa lancée. Je n'eus même pas à l'aiguillonner.

— Aux dernières nouvelles, Remy vivait dans une espèce de cabane, au fin fond du comté de Louisa, comme ces survivalistes qui stockent des bouteilles d'eau et des fusils à pompe. Son style, c'était *Voyage au bout de la solitude*.

— Quelles étaient vos relations ? voulut savoir Sampson.

— C'est lui qui m'a appris l'existence du club de Nicholson.

— Vous ne répondez pas vraiment à la question. Écoutez, monsieur le sénateur, je ne consigne rien de tout ça. Pour l'instant.

Yarrow baissa sa vitre et jeta son mégot sur le trottoir. Je sentais qu'il commençait à se ressaisir.

— C'est le frère de mon ex-femme, d'accord ? Il y a plus d'un an que je ne l'ai pas vu, ce sale con, et ça n'a d'ailleurs aucune importance. Ce qui est sûr, c'est que vous feriez mieux d'aller mettre votre nez là-bas, au lieu de gâcher votre samedi à emmerder les serviteurs de l'État.

96

Il nous fallut à peine plus de deux heures pour atteindre le comté de Louisa. Le club de Nicholson se trouvait plus au nord, à une heure de route, et il suffisait de faire une triangulation pour tomber sur le lieu où les flics avaient arrêté la voiture du petit mafieux de Philadelphie, Johnny Tucci, qui transportait dans son coffre les restes de ma nièce. Peut-être progressions-nous enfin.

Yarrow n'ayant qu'un souvenir approximatif de l'endroit où se situait le cabanon, il nous fallut faire demi-tour d'innombrables fois avant de trouver le bon embranchement sur la route 33. La petite route gravillonnée s'enfonçait à travers bois. Au bout de cinq ou six kilomètres, nous tombâmes sur un barrage improvisé, un amas de pierres visiblement entassées à la main, que nous eûmes vite fait de dégager.

Au-delà, deux chemins de terre disparaissaient dans les broussailles, et nous dûmes rouler au pas pendant une bonne demi-heure avant d'apercevoir une construction. Le plus proche voisin de Remy Williams devait être le parc naturel du lac Anna, à l'est.

Le chemin nous mena à l'arrière d'une bâtisse de plain-pied, assez rudimentaire, cernée de sapins. Elle avait l'air inachevée, avec sa toiture en zinc à joint debout légèrement tordue et ses pans de contreplaqué argenté cloués sur du film isolant.

— Très sympa, bougonna Sampson. Tu crois qu'on a trouvé le petit nid d'amour d'un autre Unabomber ?

J'avais eu l'occasion de visiter la cabane de Ted Kaczynski, dont les bombes artisanales avaient fait de nombreuses victimes de 1978 à 1995. Celle-ci était plus petite, mais il s'en dégageait la même impression : attention, fou dangereux.

Il n'y avait pas de lumière derrière les deux petites fenêtres de la façade, surplombées par une terrasse couverte. On distinguait une cour en terre battue assez grande pour accueillir plusieurs voitures, mais aucun véhicule n'était visible. L'endroit paraissait désert et j'avais presque envie que ce soit effectivement le cas.

J'avais à peu près fait un tour complet quand j'aperçus le broyeur à bois, d'un côté de la baraque.

— Sampson.

— Je le vois.

C'était un vieil engin de professionnel, avec deux pneus et une fourche d'attelage rouillée posée sur un parpaing. Sur le châssis ne subsistaient que quelques traces de peinture impressionnistes, le vert et le jaune John Deere. Juste à côté, un jerrycan d'essence lestait une bâche bleue repliée.

Nous descendîmes de voiture en laissant tourner le moteur. Je sortis mon Glock.

— Il y a quelqu'un ? lançai-je sans grande conviction.

Pas de réponse. Je n'entendais que le vent, quelques oiseaux pépiant dans les arbres, et mon moteur au ralenti.

Nous nous approchâmes de la terrasse, Sampson d'un côté, moi de l'autre, pour contrôler les fenêtres, puis la porte.

Quand je voulus jeter un coup d'œil à l'intérieur de la baraque, mes yeux mirent quelques secondes à s'habituer à la pénombre. Et j'aperçus alors, tout au fond, un homme assis dans un fauteuil. Il faisait trop sombre pour que je distingue les détails. Impossible de dire s'il était vivant ou mort. Pour l'instant.

— Merde, marmonna Sampson.

Un avis que je partageais entièrement.

97

La porte était retenue par un simple loquet en fer forgé. Dès que je l'ouvris, l'odeur nous assaillit.

Des relents de charogne caractéristiques, vaguement sucrés, auxquels on ne se fait jamais. Comme des fruits et de la viande laissés à pourrir des jours et des jours dans le même tonneau.

L'endroit était chichement meublé : un petit lit métallique, un poêle à bois, une longue table de ferme.

Il n'y avait qu'un seul fauteuil, dans lequel Remy Williams avait apparemment trouvé la mort.

Il lui manquait une partie du visage et, avec sa mâchoire décrochée, il semblait sortir tout droit d'une BD d'horreur. Sa main gauche était encore à demi refermée sur un Remington à pompe au canon pointé vers le plancher en pin.

L'autre main pendait, et il y avait comme une inscription sur l'avant-bras.

— Qu'est-ce que c'est que ça ?

Sampson se couvrit le nez et la bouche, se pencha pour regarder.

— Oh ! non ! je le crois pas !

En braquant ma lampe torche, je vis que les lettres avaient été gravées dans la peau, et non écrites.

Un énorme couteau de chasse gisait aux pieds de Williams, strié de dégoulinades brunâtres. Sur le bras, le mot était encore facile à lire.

« DÉSOLÉ. »

98

Après la découverte du corps de Williams, les choses se précipitèrent. En l'espace de quelques heures, nous vîmes débarquer la police d'État de Virginie, venue de Richmond, ainsi que l'équipe du FBI de Charlottesville. Que de nouveaux visages. Devais-je m'en réjouir ou pas ? Je ne tarderais pas à le savoir.

Au sein de l'équipe ERT, tout le monde avait l'air très sérieux. Il y avait là des experts en sérologie, en analyse de traces, en armes à feu, en photographie, en relevé d'empreintes. Ils montèrent une tente et y installèrent des tables sur chevalets, pour déployer ensuite d'immenses feuilles de papier huilé.

Autour du broyeur à bois, le sol fut découpé en carrés d'une vingtaine de centimètres de côté. Il s'agissait de les tamiser, un à un, pour séparer d'éventuels indices de tout ce qui était terre et débris.

Le broyeur lui-même serait démonté dans un laboratoire de Richmond, mais les produits révélateurs avaient déjà mis en évidence d'infimes traces de sérum. Un examen visuel permit également de détecter des fragments, sans doute d'origine osseuse, sur les lames du mécanisme.

Tout était dûment photographié, étiqueté, puis mis à sécher ou glissé dans une enveloppe de papier kraft pour être transporté.

La fouille des bois se révéla plus rapide. Un lieutenant-colonel de la police d'État fit venir deux unités canines qui, en quelques heures, découvrirent une parcelle de terre fraîchement retournée à moins d'un kilomètre de la cabane, à l'est.

Et en creusant avec beaucoup de précaution, on mit au jour, à un mètre cinquante de profondeur, deux sacs en plastique renfermant des « restes ».

Ces restes étaient en tous points semblables à ceux de Caroline, et chacun s'accordait à penser qu'ils étaient enterrés là depuis moins de trois jours. Deux noms me vinrent immédiatement à l'esprit : Tony Nicholson et Mara Kelly, qui semblaient s'être volatilisés.

— Sur le papier, en tous cas, ce serait cohérent, dis-je à Sampson. On les sort de taule et on les fait disparaître une bonne fois pour toutes. En nous laissant croire qu'ils se sont enfuis à l'étranger.

— Curieuse manière d'effacer des traces, mais il faut admettre que c'est efficace.

Il devait être 1 heure du matin. Assis au bord de la terrasse, nous regardions un agent étiqueter les restes des dernières victimes avant qu'on ne les glisse dans des sacs mortuaires. John suivait la scène avec attention, mais moi, j'avais eu mon compte. Dire que l'enquête sur le meurtre de ma nièce se révélait la plus macabre de ma carrière ! Il y avait de quoi déprimer.

Pas question, pour autant, de se relâcher. Je composai le numéro de Dan Cormorant. Je l'appelais pour la quatrième fois en quatre heures.

Et cette fois-ci, il décrocha.

— Où êtes-vous ? lui demandai-je. Savez-vous au moins ce qui se passe ici ?

— Ah, je vois que vous n'êtes pas devant la télé, parce qu'apparemment il n'y a que les chaînes sportives qui ne sont pas sur le coup.

— Cormorant, écoutez-moi. Remy Williams n'était pas Zeus, pas plus que Tony Nicholson ou Johnny Tucci. C'était peut-être un tueur de sang-froid, mais pas l'homme que nous recherchons.

— Je suis d'accord avec vous, et vous savez pourquoi ? Parce que Zeus, on le tient. En ce moment même. Si vous préférez n'être qu'un simple spectateur, restez où vous êtes, mais si vous voulez être là quand on mettra un point final à cette affaire, je vous conseille de ramener vos fesses à Washington, et vite fait. Vous voulez participer au dénouement, ou pas ?

99

À notre arrivée au bâtiment Eisenhower, face à l'aile ouest de la Maison-Blanche, je ne carburais plus qu'à l'adrénaline et à la caféine, mais il m'était difficile de faire autrement. Il était presque 4 heures du matin, et pourtant il régnait au centre de coordination des opérations une activité digne d'un milieu de journée.

L'atmosphère était pour le moins tendue. Sur l'un des douze écrans plats qui couvraient les murs, CNN diffusait en direct une vue aérienne de la cabane de

Remy Williams avec, en guise de légende, « un agent du Secret Service retrouvé mort ».

À l'entrée de la salle, un agent d'une cinquantaine d'années, en bras de chemise, hurlait au téléphone. Tout le monde pouvait l'entendre.

— Je me fous de savoir à qui vous devez demander ! Il ne fait pas partie du Secret Service ! Changez-moi ce titre, merde !

J'avais déjà repéré quelques visages familiers, dont celui de Emma Cornish, qui représentait la police de Washington au sein de la brigade d'intervention du Secret Service, et Barry Farmer, l'un des deux agents affectés à notre section criminelle. C'était un peu comme si on avait réussi à souder les deux forces ici même, au beau milieu de la nuit.

Peut-être pour la galerie ?

Il était trop tôt pour en juger.

Tout ce petit monde se regroupa autour d'une immense table pour le premier briefing. L'homme à la voix de stentor se trouvait être l'agent spécial Silo Ridge, qui allait piloter l'opération. Il se leva en même temps que Cormorant.

— Je vous fais passer une fiche détaillée, dit-il en tendant deux liasses. Notre suspect est Constantine Bowie, ou Connie Bowie, alias Zeus. La plupart d'entre vous le savent déjà : Bowie a fait partie du Secret Service de 1988 à 2002.

Personne ne broncha, sauf moi. Et peut-être Sampson. J'avais l'impression qu'on venait de déplier une toute nouvelle carte sous mes yeux.

Je levai la main.

— Alex Cross, police de Washington. Je découvre ces éléments à l'instant, mais j'aimerais savoir quel est le lien, si tant est qu'il y en ait un, entre cet homme et Remy Williams. Mis à part le fait que tous deux, semble-t-il, sont d'anciens agents.

— Inspecteur Cross, je suis ravi de vous voir parmi nous. (D'autres têtes se tournèrent vers moi.) Cette opération cible uniquement l'ex-agent Bowie. En ce qui concerne le reste, pour le moment, nous ne divulguons aucune information aux personnes qui ne sont pas strictement concernées.

— Si je vous pose cette question, c'est juste parce que...

— Nous nous félicitons de la participation de la police de Washington, comme toujours. Il est bien évident que cette enquête est un peu sensible, mais nous n'allons pas déballer quoi que ce soit ici.

J'étais prêt à accorder à Ridge, provisoirement, le bénéfice du doute. Rien ne m'obligeait, après tout, à brûler les étapes.

Une image montrant les papiers de Bowie en 2002 s'afficha sur l'un des écrans. Une vraie caricature. Le protestant blanc anglo-saxon dans toute sa splendeur, mâchoire anguleuse, cheveux bruns ramenés en arrière. Il ne lui manquait que les lunettes noires.

— Bowie est impliqué dans le meurtre d'au moins trois jeunes femmes, reprit Ridge, toutes trois employées, à notre connaissance, par ce club pour messieurs, dans le comté de Culpeper. Ces femmes sont Caroline Cross, Katherine Tennancour, Renata Cruz... (Des images de caméras de surveillance, que j'avais déjà vues, se mirent à défiler.) Et voici Sally Anne Perry.

Une vidéo démarra, et je reconnus immédiatement l'enregistrement que j'avais confié, l'autre jour, à l'agent Cormorant. Comme le disait si bien Ridge, le Secret Service pouvait effectivement se féliciter de la participation de la police de Washington.

— Ce ne sont pas des images agréables à voir, mais il faut que vous sachiez qui est l'homme que nous voulons arrêter. Constantine Bowie va entrer dans cette chambre, et il s'apprête à commettre un meurtre.

100

Chacun regarda les images avec un calme très professionnel tandis que l'agent Ridge poursuivait :

— Petit retour en arrière. Bowie faisait partie de la police de Philadelphie lorsqu'il a été recruté par le Secret Service, en 1988. Treize années s'écoulent, sans faits notables, mais peu après les attentats du 11 Septembre, ses résultats se sont mis à chuter.

« En février 2002, à la suite d'un incident – un usage d'arme à feu injustifié sur lequel je ne m'étendrai pas ce matin –, Bowie a été exclu du Service, sans indemnités.

Cormorant prit le relais. La photo d'un banal immeuble de bureaux apparut sur l'écran.

— En 2005, il lance ici, à Washington, une société appelée Galveston Security.

— Galveston ? répéta quelqu'un.

— Du nom de sa ville natale. Depuis, il a également ouvert des bureaux à Philadelphie et à Dallas, et son chiffre d'affaires se monte à environ sept millions de dollars. Le fait que sa société soit présente à Philly ne prouve rien en soi, mais notons tout de même que, dans cette affaire, un contrat, au moins, a été passé avec la famille mafieuse Martino, de Philadelphie.

Le regard de Cormorant glissa sur moi.

— Ce que nous pouvons également vous dire, c'est que d'après les relevés téléphoniques, Bowie a appelé deux fois le portable retrouvé hier dans la cabane de Remy Williams. Le premier appel remonte à deux mois, l'autre a été passé il y a quatre jours.

— Où se trouve Bowie actuellement ? demanda un agent.

— Selon notre équipe, il est chez lui depuis 23 heures. Six hommes surveillent son domicile.

— Quand intervient-on ? fit une autre voix.

Dans la salle, l'impatience était presque palpable. J'avais l'impression que pour tous ceux et celles qui étaient présents, il s'agissait surtout d'en finir.

L'agent Ridge regarda sa montre.

— On part dès que vous êtes prêts.

Tout le monde commença à se lever.

101

Un calme étrange nous attendait dans Winfield Lane, une rue résidentielle de Northwest bordée de maisons de brique mitoyennes, au toit plat. En face, sur les courts de Georgetown, deux joueurs s'affrontaient déjà. Les terrains de sport luisaient sous la rosée. Je me fis la réflexion que si Nana avait été là, elle aurait été en train de se lever pour se préparer à aller à l'église.

Quatre agents du SWAT avaient pris position derrière la maison, deux voitures de police bloquaient la rue aux deux intersections et les secours étaient déjà sur place, en attente. Une fourgonnette blanche s'arrêta devant la maison de Bowie. Nous nous déployâmes de part et d'autre, à quelque dizaines de mètres de distance.

Au signal de Ridge, une première équipe de cinq hommes en tenue de protection balistique sortit du véhicule et gravit les marches du perron en position accroupie, en file indienne. Tout devait se dérouler dans le silence le plus total. Ils forcèrent la porte et s'engouffrèrent dans la maison.

Pendant dix longues minutes, ils investirent la maison, passant de pièce en pièce. Tête baissée, une main sur l'oreillette, Ridge suivait leur progression au fil du compte rendu que le commandant du SWAT lui chuchotait en temps réel. Il leva un doigt pour indiquer qu'ils avaient atteint le premier étage, puis deux, quelques minutes plus tard.

Brusquement, il se raidit. J'entendis des cris en provenance de la maison.

— Ils l'ont ! (Puis il ajouta :) Attendez.

Il y eut quelques rapides échanges radio.

— Oui ? Je comprends. Gardez vos positions. (Un instant plus tard :) Bon, donnez-moi une seconde.

Il se tourna vers nous.

— La situation est bloquée. Bowie est armé, prêt à tirer. Il refuse de parler aux agents du Secret Service.

— Moi, je vais lui parler, proposai-je, sans me poser de questions.

Ridge me fit signe d'attendre. Il parla dans le micro caché dans sa manche.

— Peters, je vais demander qu'on nous apporte un téléphone spécial prise d'otages...

— Non, insistai-je, en face. Tout ce qu'il voit, pour l'instant, ce sont cinq hommes armés. Nous ne sommes pas là pour faire de la figuration, Ridge. Vous nous avez fait venir, à nous de jouer notre rôle.

Les tractations entre Ridge et Bowie, par l'intermédiaire du SWAT, durèrent un bon moment, mais un accord fut finalement trouvé. Bowie laisserait les policiers s'assurer qu'il n'y avait personne d'autre dans la maison, après quoi j'entrerais. Tout alla très vite. Quelqu'un me tendit un gilet pare-balles et Ridge me donna les consignes.

— Arrangez-vous pour que le SWAT reste toujours entre vous et Bowie. Si vous pouvez le convaincre de se rendre, faites-le, et sinon, revenez. Ne vous éternisez pas. (Il regarda de nouveau sa montre.) Quinze minutes, pas plus. Après, c'est moi qui viens vous chercher.

102

Le temps d'entrer, seul, chez Constantine Bowie, j'étais redevenu profileur. Je découvris un intérieur spacieux et bien aménagé, dont les propriétaires avaient dépensé une petite fortune en objets d'art et en antiquités américaines. Tout était extrêmement propre et bien rangé ; pas un magazine, pas un journal, rien ne traînait. Le type qui vivait ici aimait visiblement tout contrôler. Étais-je chez Zeus ? D'autres meurtres avaient-ils été commis ici même ?

La chambre parentale se trouvait en haut de l'escalier, au deuxième étage.

Deux hommes du SWAT me firent un petit signe à mon arrivée sur le palier, sans dire un mot. J'en aperçus deux autres dans la chambre. Leurs pistolets-mitrailleurs MP5 étaient braqués sur Bowie, à des hauteurs différentes.

— Bowie, je m'appelle Alex Cross, je suis de la police de Washington. Je vais entrer, d'accord ?

Silence. Puis une voix, exténuée :

— Entrez. Montrez-moi votre plaque.

Assis, il ne portait qu'un caleçon et transpirait abondamment. Le lit était défait, le tiroir de la table de chevet ouvert.

Bowie s'était blotti sous une fenêtre, entre le lit et l'un des deux placards. Il tenait à deux mains un Sig Sauer .357 braqué sur un des hommes du SWAT, le plus proche de lui.

Un autre détail me frappa : la chevalière qu'il portait à la main droite, en or, sertie d'une pierre rouge, comme celle que nous avions tous vue sur l'enregistrement vidéo. Décidément, il nous facilitait la tâche. Curieux. S'agissait-il vraiment de Zeus ?

Les mains et ma plaque bien en évidence, je fis encore quelques pas jusqu'au seuil de la porte. Dans la pièce, tout le monde s'était pétrifié.

— Sympa, la maison, dis-je en guise de préambule. Depuis combien de temps vivez-vous ici ?

— Quoi ?

Il détourna les yeux de sa cible durant une demi-seconde.

— Je me demandais depuis combien de temps vous viviez ici. C'est tout. Une manière de rompre la glace.

Il ricanna.

— Vous voulez vous assurer que je suis sain d'esprit ?

— Exact.

— J'habite ici depuis deux ans. La présidente des États-Unis s'appelle Margaret Vance. Sept fois huit, cinquante-six. C'est bon ?

— J'imagine donc que vous comprenez la gravité de l'acte que vous êtes en train de commettre.

— Là, vous vous trompez. Je n'ai pas la moindre idée de ce qui se passe ici.

— Dans ce cas, je vais vous le dire. Enfin, je vais essayer. Officiellement, vous êtes en état d'arrestation pour le meurtre de Sally Anne Perry.

Je vis la colère embraser son regard toujours fixe.

— Bordel de merde ! Ils cherchent à m'abattre depuis qu'on m'a viré.

— Qui, « ils » ?

— Le Secret Service. Les fédéraux. Peut-être même la présidente Vance.

Je pris le temps de respirer un bon coup, en espérant que Bowie en ferait autant.

— Je ne sais trop comment interpréter votre attitude, Bowie. Vous paraissez lucide, et l'instant d'après…

— Ouais, mais ce n'est pas parce que je suis parano qu'ils ne vont pas essayer de m'avoir, vous comprenez.

Il marquait un point. Faute de le contredire, je poursuivis sur ma lancée.

— Pourquoi ne pas me dire vos exigences avant d'abaisser cette arme ?

Il indiqua du menton le gars du SWAT qu'il tenait en joue.

— Qu'ils baissent leurs armes d'abord.

— Attendez, vous savez bien que c'est hors de question. Essayez plutôt de m'aider. Si vous êtes vraiment innocent, je suis de votre côté. Où avez-vous eu cette bague ?

— Arrêtez, avec vos questions. Arrêtez.

— Entendu.

Ses bras avaient beau être extrêmement musclés, tendus depuis vingt minutes au moins, ils tremblaient. Bowie changea de position, releva un genou pour pouvoir caler son arme.

— Bowie, je…

Il y eut un léger tintement, et ce fut tout. L'un des carreaux vola en éclats, et Bowie tomba en avant sur la moquette, la nuque percée d'un petit trou noir.

Je ne pouvais, ne voulais pas y croire. Le SWAT passa immédiatement à l'action. Quelqu'un me traîna par le col dans le couloir tandis que les autres s'occupaient de Bowie.

— Tir effectué, suspect blessé ! Envoyez-nous les secours, tout de suite !

Quelques secondes plus tard, je réussissais à me frayer un chemin jusqu'à la chambre, tremblant de colère. Pourquoi avoir abattu Bowie, maintenant, alors que j'étais en train de le faire parler ? Il gisait au sol, les bras le long du corps. Par le carreau cassé, j'aperçus un tireur du SWAT, sur le toit d'en face, en train de remballer son matériel.

— Contrordre, ajouta le commandant. On retrouve les secours en bas et ils monteront avec nous.

Puis deux de ses hommes me raccompagnèrent sans ménagement à l'extérieur. Manifestement, je ne leur étais plus d'aucune utilité.

Arrivé sur le perron, je vis les secouristes en train d'attendre. Ils allaient monter, pour la forme. J'en avais déjà vu assez pour savoir que Constantine Bowie était aussi mort qu'on pouvait l'être.

Et que depuis le début, je n'avais fait que servir d'appât. On avait prévu de le tuer.

On...

103

Tout me semblait trop simple, trop facile, mais cela ne signifiait pas pour autant que Constantine Bowie n'était pas notre tueur. Les jours suivants, je dus affronter des tonnes de paperasse. Le commun des mortels n'imagine pas la quantité d'encre nécessaire pour classer une affaire de meurtre, surtout une affaire de cette dimension.

Même quand le FBI et le Secret Service affirment, chacun de leur côté, que justice a été faite.

D'innombrables réunions m'attendaient, puis viendrait le temps des auditions publiques. Une enquête parlementaire avait déjà été promise, alors qu'élus et journalistes évoquaient mille hypothèses. Le pays tout entier bruissait de rumeurs sur la liste des clients de Nicholson, l'implication du Secret Service, voire d'autres victimes que Bowie aurait pu laisser derrière lui.

Une fois mes rapports achevés, je pris le reste de la semaine. Je quittai mon bureau assez tard, le mercredi, et filai directement à l'hôpital. Nana paraissait beaucoup plus paisible, ces temps-ci ; on aurait dit un ange, ce qui était à la fois beau et douloureux. Incapable de fermer l'œil, je passai une bonne partie de la nuit à la regarder.

Tante Tia vint me relever de bonne heure, le lendemain matin, ce qui me permit de rentrer enfin chez moi, juste à temps pour rejoindre Bree au lit. Elle commençait à peine à sortir de son sommeil quand je vins me glisser contre elle.

— Fais ce que tu veux, murmura-t-elle, mais ne me réveille pas.

Puis elle se retourna en riant et m'embrassa. Nos jambes se mêlèrent sous les draps.

— Bon, d'accord, fais-moi ce que tu veux.

— Voilà un programme alléchant. Est-ce que tu te souviens de...

Elle hocha la tête. Nos fronts se touchaient, et je me fis la réflexion que je ne voulais plus jamais être ailleurs, que ma place était ici...

Puis, bien évidemment, la porte s'ouvrit.

— Papa ! T'es rentré !

Ali pointa sa petite bouille et sauta sur le lit sans nous laisser le temps de lui dire de s'en aller.

— Bonhomme, combien de fois t'ai-je déjà dit de frapper avant d'entrer ?

— Au moins un million de fois !

Hilare, il vint se faufiler entre nous.

Ne voulant pas être en reste, Jannie ne tarda pas à le rejoindre et ils se mirent à nous raconter toutes sortes de choses, en oubliant qu'il n'était que 6 h 30 du matin. Mais quel plaisir d'être tous réunis !

Vers 7 heures, je préparais des sandwichs chauds bacon, œuf, tomate tandis que Bree faisait le café et servait le jus d'orange. Jannie et Ali épluchaient le journal pour voir si on me citait. J'avais mis un disque de Gershwin. J'aurais sans doute préféré rester au lit avec Bree, mais ce n'était pas si mal.

Au moment où j'allais vider ma poêle, un téléphone se mit à pépier à l'étage, assez fort pour qu'on l'entende malgré la musique.

Tout le monde s'arrêta et me regarda.

Ma spatule grasse à la main, je fis de grands yeux en prenant un air innocent.

— Quoi ? Je n'entends rien, moi.

Acclamations autour de la table. Bree me gratifia même d'une tape sur les fesses.

J'ignorais qui ce pouvait être, mais il ou elle eut l'intelligence de ne pas insister.

104

Quelques heures plus tard, après avoir accompagné les enfants à l'école et fait quelques courses indispensables, nous étions de retour.

— On monte, dis-je à Bree avant même d'avoir refermé la porte derrière nous. On a quelque chose à terminer.

Elle me prit le sac à provisions des mains, déposa un baiser sur mes lèvres.

— J'arrive. Attends-moi pour commencer.

J'étais dans l'escalier lorsqu'elle m'appela depuis la cuisine. Elle paraissait tendue.

— Alex ! De la visite !

Je redescendis. Elle était à l'entrée de la terrasse.

— Devine qui est là !

Je la rejoignis, et aperçus Ned Mahoney, dans le jardin, en train de pianoter sur la table de pique-nique.

— C'est pas vrai...

Il attendit tranquillement que j'arrive.

— Est-ce toi qui as appelé, tout à l'heure ?

Il acquiesça, et je compris alors que l'enquête n'était pas finie.

— Tu veux entrer ?

— Je préfère qu'on discute ici.

Je m'éclipsai, le temps d'aller chercher une veste et deux tasses de café.

Ned se jeta sur le breuvage. Il avait l'air exténué. Lui, d'ordinaire si volubile, semblait avoir épuisé ses réserves.

— Tu vas bien ?

— Je suis juste un peu crevé. Je n'ai pas lâché l'affaire, Alex. J'ai pris toutes mes journées de repos, toutes mes vacances. Kathy veut me tuer.

— Bree aussi veut me tuer. Et elle, elle a un flingue.

— N'empêche que ça a payé. C'est peu de le dire. Il y a quelqu'un que j'aimerais te présenter. Il s'appelle Aubrey Lee Johnson. Il vit en Alabama, mais il est souvent appelé à aller en Virginie. Il fabrique des moulinets de pêche à la mouche haut de gamme.

Ned vida sa tasse, et je lui fis cadeau de la mienne. Il avait déjà retrouvé une partie de son énergie.

— Il lui est arrivé un truc, il pense que ça peut être important. Et figure-toi que ça l'est, Alex.

105

Pour ne pas gaspiller l'argent du contribuable, le FBI obligeait désormais ses agents à faire appel aux antennes locales chaque fois qu'ils devaient interroger quelqu'un dans un autre État. Impossible, donc, pour Mahoney, de faire prendre en charge son déplacement, et ce d'autant qu'il ne s'agissait pas de son enquête. Il avait déjà échangé quelques mails avec le bureau de Mobile, mais nous décidâmes finalement d'aller en Alabama à nos frais.

À notre arrivée à l'aéroport régional de Mobile, nous louâmes une voiture.

Aubrey Johnson vivait à Dauphin Island, à une heure de route de là, plein sud. Un petit village en sommeil, du moins en cette saison, où nous n'eûmes aucun mal à trouver son magasin, Big Daddy, Tout pour la pêche, sur Cadillac Avenue.

— C'est pour ça qu'on a débarqué ? Big Daddy, Tout pour la pêche ?

— Malgré les apparences, on y est. C'est ici qu'on met un terme à la conspiration. Enfin, si nous avons de la chance.

— Alors allons taquiner la chance !

Johnson, un grand et jovial gaillard d'une bonne cinquantaine d'années, nous accueillit comme si nous étions de vieux amis et ferma la porte à double tour derrière nous.

Ned l'avait déjà interrogé au téléphone, mais il accepta de me raconter son histoire depuis le début. Environ un mois plus tôt, il était au volant de son pick-up sur la route 33, en Virginie, lorsqu'il avait vu une jeune fille magnifique, en nuisette, surgir des bois, juste devant lui.

— Sans mentir, j'ai cru que c'était mon jour de chance jusqu'à ce que je remarque qu'elle était dans un sale état. Elle avait pris une balle dans le dos ; si ça avait été du gros calibre, elle y restait.

Et pourtant, la fille avait insisté pour que Johnson poursuive sa route et qu'il sorte de l'État. Il l'avait finalement déposée aux urgences d'un hôpital à l'entrée de Winston-Salem.

— Mais Annie ne voulait pas attendre que les flics se pointent. Elle m'a dit qu'elle repartirait soit à pied, soit avec moi, alors je l'ai emmenée. J'aurais sans doute pas dû, mais ce qui est fait est fait. Et depuis, ma femme et moi, on s'est occupés d'elle.

— Elle se prénomme Annie ?

— J'y viendrai.

— Sait-on pourquoi elle a fait son apparition à ce moment-là ?

Ma question s'adressait aussi bien à Aubrey Johnson qu'à Mahoney, car leur premier contact avait eu lieu avant que les noms de Constantine Bowie et Zeus ne fassent les gros titres.

— C'est un peu compliqué, me répondit Johnson. Elle ne nous a pas encore tout raconté. On ne connaît même pas son vrai nom ; en fait, on l'appelle Annie pour que ce soit plus simple. Quand j'ai cherché à me renseigner, je ne pouvais pas fournir beaucoup de détails et je crois que, du coup, les gens ne m'ont pas vraiment pris au sérieux. Jusqu'à ce que l'agent Mahoney finisse par me rappeler, suite à un coup de fil que j'avais passé à l'antenne du FBI, à Mobile.

— Et où se trouve-t-elle maintenant, Aubrey ?

— Pas loin. (Il prit un jeu de clés sur le comptoir.) Je la laisserai s'expliquer, mais une chose que je peux vous dire : le type qu'on surnomme Zeus, aux infos, c'est pas le bon, d'après elle. Elle s'appelle pas Annie, et Zeus, c'est pas lui.

106

Johnson nous fit traverser le village et, juste avant le pont, s'engagea dans la marina. La plupart des anneaux étaient libres, et la cahute qui tenait lieu de capitainerie et de snack-bar avait l'air fermée pour la saison.

Nous le suivîmes sur l'un des trois grands pontons jusqu'à un bateau de pêche sportive, baptisé *May*, devant lequel nous attendait celle qui devait être Mme Johnson, une femme assez forte. Elle nous scruta d'un œil bien plus méfiant que son mari.

— C'est eux ?

— Tu le sais bien, May. Allons-y.

Elle ne bougea pas d'un pouce.

— Cette fille a vécu l'enfer, vous me comprenez ? Il faut que vous la ménagiez.

Son attitude ne me choquait pas, bien au contraire. Nous lui fîmes la promesse d'être gentils, et elle nous conduisit à l'intérieur de la petite cabine du bateau.

Assise dans l'angle de la banquette du coin repas, « Annie » avait les traits tirés et paraissait nerveuse, mais elle n'en restait pas moins une très belle fille au visage de poupée, plastique pour laquelle Tony Nicholson le proxénète semblait avoir un net penchant. Son pantalon cargo et son gros sweat rose avaient dû être prêtés, ou achetés dans une friperie, et une écharpe en toile grise lui maintenait le bras droit. Recroquevillée, elle avait visiblement encore très mal au dos, là où elle avait été touchée, chaque fois qu'elle bougeait.

Après les présentations, Mahoney lui demanda si elle acceptait de nous donner son nom.

— C'est Hannah, répondit-elle avec hésitation. Hannah Willis. Pouvez-vous m'aider ? Me donner une nouvelle identité ? Le programme de protection des témoins, ou je ne sais quoi ?

Ned lui expliqua que le bureau du procureur général déciderait s'il était nécessaire qu'elle témoigne et que, le cas échéant, oui, elle avait le profil requis pour bénéficier du programme WitSec. Et il lui assura qu'en attendant aucune de ses déclarations ne serait enregistrée.

— Commençons par ce qui vous est arrivé, dis-je. La nuit où Aubrey vous a fait monter dans son pick-up.

Elle hocha lentement la tête, le temps de rassembler ses souvenirs ou, peut-être, de trouver la force de se lancer. May Johnson, assise à ses côtés, lui tenait la main en permanence.

— Ça devait être une sorte de soirée privée, à Blacksmith. On ne savait rien, à part le pseudo du client,

Zeus. Fallait qu'il ait une haute opinion de lui-même. Un nom de dieu grec !

— Cette soirée a eu lieu dans la suite de la dépendance ?

— Exact, me répondit-elle, surprise de me voir aussi bien informé. Je n'y étais encore jamais allée. Je savais qu'on serait payées plus.

— Quand vous dites « on », lui demanda Ned, combien étiez-vous, avec Zeus ?

— Juste moi et une autre fille, Nicole, mais ça devait être un pseudo.

J'avais déjà entendu quelqu'un mentionner ce prénom. Le cœur battant, je sortis de ma poche la photo de Caroline qui ne me quittait pas depuis le début de cette sinistre affaire.

— Est-ce elle, Hannah ?

Elle acquiesça, et commença à pleurer.

— Oui, monsieur. C'est la fille qui est morte. C'est Nicole.

107

Hannah nous décrivit dans les moindres détails le meurtre de Caroline et le calvaire qu'elle avait elle-même enduré à Blacksmith Farms. Moi, j'écoutais attentivement, en essayant de faire abstraction de la rage que je sentais bouillir en moi.

Zeus les avait menottées au lit avant de les frapper et de les mordre, en s'en prenant surtout à Caroline pour des raisons qui, aujourd'hui encore, échappaient totalement à Hannah. Il les avait violées toutes les deux.

— Nicole était à peine consciente, et il y avait plein de sang sur l'alaise.

Il était sorti peu après, et Hannah s'était prise à espérer que le pire était passé, jusqu'à l'arrivée de deux individus, chargés de les emmener. Un grand blond et un Latino trapu. Compte tenu de ce qui s'était produit avec Zeus et de ce que les deux jeunes femmes savaient à son sujet, Hannah avait alors compris ce qui les attendait.

— Ils sont allés très vite, comme si ce n'était pas la première fois. Ils ont tout nettoyé. Je revois encore leurs visages, leur air blasé.

Les deux filles avaient été ensuite conduites de force à leur voiture, et enfermées dans le coffre. Hannah avait tenu la main de Caroline dans le noir, en s'efforçant de lui parler le plus longtemps possible, jusqu'au moment où Caroline avait cessé de répondre. Et à leur arrivée, quand leurs ravisseurs avaient ouvert le coffre, elle était morte.

Ils étaient en pleine forêt, près d'une sorte de cabane. Il y avait là un troisième homme, qui avait pris le relais des deux autres. Pour toute lumière, il n'y avait qu'une lanterne, qu'il avait approchée du visage de Hannah comme s'il voulait examiner un morceau de viande, avant de la poser par terre pour s'assurer que Caroline était bien morte.

À ce moment-là, estimant qu'elle n'avait plus rien à perdre puisqu'on allait sans doute la tuer elle aussi, Hannah avait renversé la lanterne d'un coup de pied, pour prendre la fuite à travers bois.

Les trois hommes s'étaient, bien sûr, lancés à sa poursuite. Ils avaient tiré plusieurs coups de feu. Touchée dans le dos, elle ne s'était pourtant pas arrêtée. Elle se demandait encore aujourd'hui comment elle avait pu trouver la force de continuer et n'avait qu'un souvenir très flou de ces instants-là, mais toujours était-il qu'elle avait fini par tomber sur une route. Et c'est alors qu'elle avait vu le pick-up de Aubrey Johnson, venant dans sa direction.

Son récit concordait parfaitement avec tout ce que je savais déjà – les traces de morsure sur les restes de Caroline, la cabane dans la forêt, la description des deux ravisseurs. Une seule question demeurait en suspens.

La grande question.

— Qui était-ce, Hannah ? Qui est Zeus ? Et comment avez-vous su qui il était ?

— On l'a su parce qu'il nous a montré son visage. Il a enlevé son affreuse cagoule en disant que ça n'avait aucune importance, si on le voyait.

— Hannah, qui était-ce ? Qui est Zeus ?

Et là, malgré tout ce que j'avais déjà appris au cours de mon enquête, sa réponse me laissa abasourdi.

108

À l'occasion de la soirée annuelle des Honneurs, le grand salon du Kennedy Center était illuminé comme une vitrine de Macy's au moment des fêtes de Noël. On venait d'attribuer une distinction à cinq des plus grands noms du monde du spectacle, et la moitié de L.A. semblait avoir fait le déplacement. Washington vivait la nuit la plus exceptionnelle de l'année, la nuit des étoiles.

Pour Teddy, c'était effectivement une nuit de fête. Vous auriez questionné ce beau monde à propos des gros titres de l'actualité, neuf personnes sur dix vous auraient donné la même réponse : Zeus est mort. Un homme très méchant avait fait des choses horribles et il avait payé ses outrages du prix de sa vie. Un grand classique.

Et comme dans tout bon conte de fées, ce mensonge n'avait qu'un lointain rapport avec la vérité. En fait, Zeus était ici même, parmi eux, et comme tout le monde il se régalait de cocktails de homard et de champagne. Enfin, pas tout à fait comme tout le monde. Teddy vivait dans un monde où même l'élite lui passait régulièrement la brosse à reluire et où on payait cher pour être vu à ses côtés. Ce privilège méritait d'être préservé, non ?

Certes, il y avait toujours la question des « pulsions ». Baiser des filles superbes. Les voir souffrir. Les tuer. Était-il capable de brider ses « pulsions », seul l'avenir le dirait, mais il avait aujourd'hui l'occasion de tout laisser derrière lui. C'était le moment idéal. Il ne risquait plus rien, il avait eu droit à une seconde chance.

Teddy refoula donc toutes ses pensées lubriques avant de reprendre son petit tour de salle, exercice qu'il pratiquait avec un talent inégalé. C'était du Teddy pur jus, du Teddy dans toute sa splendeur.

Il bavarda brièvement avec Meryl Streep et John McLaughlin, au bar. Complimenta le président de la Chambre des représentants, dont les récents propos, dans l'émission *Meet the Press,* avaient fait mouche. Félicita Patti LuPone, l'une des lauréates de la soirée, pour son magnifique palmarès, dont il ignorait tout. Et il papillonnait, papillonnait, sans rester trop longtemps au même endroit, sans forcer sur les amabilités, sans rien révéler de lui-même. C'était là toute la beauté et le charme des cocktails.

Dans le salon des Nations, il finit par tomber sur Maggie. Elle était en train d'enjôler le nouveau gouverneur démocrate de la Géorgie et sa femme, qui avait une tête de lévrier et un prénom qu'il n'arrivait jamais à retenir.

— Tiens, quand on parle du loup...

Maggie lui prit le bras.

— Tu connais Douglas et Charlotte. Il était justement question de toi, mon chéri.

— Bonsoir, Doug ; bonsoir, Charlotte. Vous ne disiez que du bien, j'espère.

Rires convenus.

— Votre épouse vient simplement de nous apprendre que vous étiez un cavalier hors pair, répondit le gouverneur.

— Ah ! soupira Teddy. Mon petit secret. Il m'en reste si peu que je ne tiens pas à les ébruiter.

— Il faut absolument que vous veniez à la ferme, un de ces jours. Il y a de magnifiques sentiers équestres autour de notre maison de campagne.

— La ferme, répéta-t-il. Nous serions ravis. (Ce genre de mensonge n'avait jamais fait de mal à personne.) Et la Présidente et moi, nous nous ferons un plaisir de vous recevoir une nuit à la Maison-Blanche. (Il regarda Maggie, qui affichait un grand sourire, imperturbable.) N'est-ce pas, ma chérie ?

109

En rentrant de l'aéroport, le soir même, Ned et moi participâmes à une réunion téléphonique organisée en urgence pendant que nous étions encore dans l'avion. Teddy, autrement dit Theodore Vance, se trouvait avec son épouse, la présidente des États-Unis, à la soirée des Honneurs au Kennedy Center. Nous le tenions. Restait à savoir comment procéder.

Les réticences venaient surtout du Secret Service, dont le pouvoir de décision, dans ce cas particulier, était paradoxalement très limité. Angela Riordan, la directrice adjointe aux enquêtes, s'exprima abondamment.

— Il est hors de question de l'arrêter et lui dire ses droits comme à un citoyen lambda, c'est compris ? Nous parlons du conjoint de la présidente des États-Unis. Si le FBI se hasarde à franchir notre cordon de sécurité, il aura disparu avant que quiconque n'ait pu entrer. Dois-je répéter ?

— Cela ne nous pose aucun problème, Angela, répondit Luke Hamel.

Luke était le directeur adjoint à l'enquête avant que le dossier ne soit transféré à Charlottesville. Le patron du FBI, Ron Burns, suivait également la discussion en compagnie de plusieurs spécialistes du département juridique.

— Pour l'instant, personne ne parle de l'interpeller. Nous aimerions l'entendre.

— Dans ce cas, ça peut très bien attendre demain.

Je reconnus le léger accent de Raj Doshi, l'avocate de Vance, qui venait de quitter le Maryland en voiture pour rejoindre Washington.

— Non, ça ne peut pas attendre, intervins-je. Plusieurs personnes sont déjà mortes parce qu'on a voulu couvrir cette affaire. Ne rien faire ce soir reviendrait à mettre d'autres vies en danger, et le fait que nous ayons cet entretien ne fait qu'accroître le risque.

— Excusez-moi... (C'était Angela Riordan.) Vous êtes l'inspecteur Cross, c'est cela ? Nous n'allons pas prendre des décisions tactiques fondées sur vos intuitions ou votre parano.

— Permettez-moi de vous faire remarquer que rien ne vous permet de dire si je suis paranoïaque.

Je ne voulais pas enfoncer le clou, mais Ned Mahoney et moi avions plus de cartes en main que les autres participants de la réunion.

Riordan finit par reconnaître qu'elle n'avait guère le choix, et elle accepta le principe d'une audition de Vance.

Doshi insista pour que l'entretien n'ait pas lieu sur place, demande à laquelle le FBI ne fit pas objection. Tout le monde s'accorda rapidement sur le choix du bâtiment Eisenhower.

— C'est encore Cross, dis-je. Je suppose que Dan Cormorant est déjà en service au Kennedy Center ?

— Que voulez-vous savoir ?

C'était l'agent Silo Ridge. J'ignorais qu'il participait à la réunion.

— Cormorant est mon contact au Secret Service pour l'affaire Zeus. Il serait étonnant qu'il n'ait pas quelques infos utiles à nous communiquer.

À dire vrai, j'avais des questions à lui poser personnellement et je voulais l'avoir en face de moi avant de dire des choses que je risquais de regretter.

Pas de réponse. C'était sans importance. J'apercevais déjà le Kennedy Center. Je serais bientôt fixé.

110

De mémoire de policier – en ce qui me concernait, en tout cas –, cette interpellation était une première.

Nous avions choisi comme point de regroupement la terrasse du Kennedy Center, côté fleuve, à l'extérieur du grand salon où la soirée battait son plein. J'avais déjà aperçu quelques stars de cinéma derrière les hautes baies vitrées, mais aucun signe de Teddy Vance.

Luke Hamel était venu accompagné d'un collègue, James Walsh, que je voyais pour la première fois, me semblait-il. Mon ancien patron, Ron Burns, avait préféré garder ses distances tout en veillant à ce que Mahoney et moi puissions jouer notre rôle. Peut-être aurais-je l'occasion de lui renvoyer l'ascenseur un autre jour.

Riordan et Ridge représentaient le Secret Service. Et une équipe opérationnelle était déjà sur place. Ce qui voulait dire deux agents en tenue de soirée par porte, une lourde présence policière aux abords du bâtiment, plus un hélicoptère et des ambulances en attente, comme pour tout déplacement présidentiel.

Si l'on faisait exception de la Maison-Blanche, nous nous trouvions dans le lieu le plus sécurisé de la capitale. J'étais de plus en plus tendu.

Une fois que tout le monde fut en place, Riordan plaça le Kennedy Center en état d'alerte maximale – personne n'entrerait ni ne sortirait avant le départ de M. Vance. Tout le secteur fut ensuite fermé à la circulation, ce qui allait considérablement gêner de nombreux automobilistes, mais c'était le dernier de nos problèmes.

Selon toute vraisemblance, M. Vance était un assassin.

Moins d'une minute plus tard, Dan Cormorant sortit, en smoking. Il s'adressa directement à Angela Riordan, en ignorant tous les autres.

— Nous sommes prêts à entrer, madame.

— Parfait. Je veux que ça se passe discrètement, en douceur, compris, Dan ? Montana sort par ici, et on file vers le bâtiment Eisenhower.

— Bien, madame.

Il surprit mon regard au moment de s'éloigner. J'ignorais ce qu'on lui avait révélé, mais m'ayant vu, il devait se douter de ce qui se tramait. Impossible, pourtant, de lire sur son visage. Il était déjà en train de donner des ordres *via* son micro, dans sa manche.

— Ici Cormorant. Que l'escorte de Montana se prépare à bouger à mon signal. Transport complet depuis l'esplanade nord. Immédiatement.

Mû par une intuition, je me penchai vers l'agent Ridge.

— Vous devriez l'accompagner.

— Merci pour le conseil, inspecteur, répondit-il sans même me regarder.

— Je parle sérieusement.

Il me repoussa d'un geste.

— Cross, vous serez le roi du monde, un jour, mais en attendant, restez à votre place.

Facile à dire. Si Theodore Vance était vraiment notre assassin, ce scénario ne me plaisait pas du tout.

111

Il se passait quelque chose d'anormal. Teddy perçut la tension qui émanait de Cormorant avant même que l'agent ne vienne lui parler à l'oreille.

— Excusez-moi, monsieur. Voudriez-vous m'accompagner ? C'est assez important.

Maggie, à qui la scène n'avait pas échappé, prit soin d'afficher son sourire des grands soirs.

— Ne le monopolisez pas trop longtemps, Dan, d'accord ?

— Entendu, madame.

— Gouverneur, je vous demande un petit instant, dit Teddy à l'intention de leurs invités. Je reviens tout de suite.

Puis, machinalement, il fit une bise à son épouse.

— Je t'aime, ma chérie.

Elle répondit par un clin d'œil.

Adorable Maggie. On ne mesurerait probablement jamais la bonté de cette femme. Non qu'il fût réellement amoureux d'elle, d'ailleurs – savait-il seulement à quoi ressemblait ce sentiment ? Et pourtant, ça fonctionnait. Leur couple fonctionnait. Même si Maggie ignorait tout de certains aspects de sa personnalité, rien ne pouvait effacer ce qu'ils partageaient. La fameuse histoire du tout supérieur à la somme des parties. C'était compliqué, comme pour tous les couples...

Il rattrapa l'agent.

— Que se passe-t-il, Dan ?

— Monsieur, il faut que vous restiez calme. Le FBI a quelques questions à vous poser. Ils sont dehors, ils vont nous suivre jusqu'au bâtiment Eisenhower.

Teddy s'arrêta net.

— Attendez une seconde. Est-ce que vous… (Il pencha la tête de côté pour sourire à quelques invités qui le regardaient, l'air béat, puis tourna le dos à la salle.) Est-ce que vous voulez que je fasse une crise cardiaque ?

— Monsieur, je sais ce que je fais, je vous assure. Il faut que vous me fassiez confiance.

— Vous faire confiance ? Mais vous êtes en train de me livrer !

Cormorant mit sa main, celle qui était équipée du micro, dans sa poche, et sa voix se réduisit à un chuchotement fiévreux.

— N'ai-je pas déjà fait mes preuves ? Je vous en prie, Teddy, reprenez-vous. Ils veulent simplement vous poser quelques questions.

— Pourquoi ai-je du mal à vous croire, Dan ? C'est grave. C'est très grave, n'est-ce pas ?

— Écoutez-moi. (Le regard de l'agent pivota brièvement en direction de l'autre sortie, au fond de la salle.) La seule façon décente de vous sortir de cette situation est de passer ces portes. Soit nous y allons, soit ils viennent vous chercher. S'ils entrent, ce sera gênant pour la Présidente.

Il les distinguait à présent, tous ces costards noirs sur la terrasse. Et parmi eux, l'inspecteur de police qui le pistait, Alex Cross. Celui qui aurait dû être liquidé depuis longtemps.

— Il faut qu'on y aille, monsieur.

— Ne me bousculez pas ! Avez-vous oublié que je suis Teddy Vance ?

Teddy arrangea sa cravate et prit une flûte sur le plateau d'un serveur qui passait à proximité. Il se retint de la vider d'un trait. Juste une gorgée, et un autre sourire pour la salle, comme si de rien n'était, tandis que le sang lui battait les tempes.

— Entendu, dit-il, allons-y. Je peux faire l'effort de répondre à quelques-unes de leurs questions.

112

Dan Cormorant intervint avec une souplesse et une efficacité indéniables. Il disparut dans le grand salon et réapparut quarante-cinq secondes plus tard, accompagné de Theodore Vance. Pour l'instant, tout se déroulait comme prévu.

Puis, avant qu'ils n'atteignent la porte, Vance s'arrêta pour dire quelque chose à l'agent du Secret Service. Cormorant mit son micro dans sa poche. Très mauvais signe.

À mes côtés, Angela Riordan plaça la main sur son oreillette pour mieux entendre.

— Dan, que faites-vous ?

Pas de réponse.

— Ne vous arrêtez pas, Dan ! Dan ! Faites sortir Montana !

Elle fit signe à l'agent Ridge d'entrer à son tour, mais le retint en voyant Vance se retourner. Il venait vers nous, il nous regardait.

Trois autres gardes du corps l'encadraient, et Cormorant était juste derrière lui. Un agent lui ouvrit la porte et s'effaça pour le laisser passer.

Et là, tout se déroula extrêmement vite. Quelques secondes à peine, et des images qui restent à jamais gravées dans les mémoires.

On distinguait à peine Cormorant derrière la silhouette de Vance. J'eus juste le temps de voir le revers de sa veste se soulever.

Le temps de dégainer mon Glock, il était déjà trop tard.

Son Sig .357 au poing, Cormorant tira une balle dans la nuque de Theodore Vance, qui fut littéralement projeté en avant par l'impact, pour finir par s'affaler sur le ciment.

Confusion, terreur, incrédulité. Aussitôt, plusieurs agents firent simultanément feu sur Cormorant, qui s'effondra à son tour.

Des centaines de personnes se précipitaient vers les sorties en hurlant. Les rideaux du salon étaient en train de se refermer, dissimulant la scène de la fusillade.

J'eus le temps d'apercevoir une escouade d'agents du Secret Service, regroupés autour de la Présidente, courant vraisemblablement vers le local sécurisé le plus proche. Margaret Vance savait-elle que son mari venait d'être abattu ?

Il y avait un tel vacarme que Angela Riordan dut crier dans son micro.

— Coups de feu ! Montana est touché ! Je répète : Montana est touché ! Il me faut une équipe de réanimation sur la terrasse, côté nord ! Vite !

Les gardes du corps de Theodore Vance s'étaient redéployés en deux cercles, les uns accroupis près du corps, les autres surveillant les abords, arme au poing. Mahoney et moi nous étions écartés pour couvrir un périmètre plus large.

À quelques mètres de nous, les journalistes se bousculaient déjà pour obtenir des infos, n'importe quoi. Les flics pullulaient, des sirènes retentissaient dans les rues, des cris assourdissants déferlaient de partout à la fois.

L'heure n'était pas encore aux hypothèses officielles, mais j'avais une petite idée de ce qui venait de se passer sous mes yeux. Dan Cormorant, agent chevronné et patriote, du moins à ses propres yeux, avait attendu que Teddy Vance sorte pour le tuer d'une seule balle, sachant qu'il serait lui-même aussitôt abattu. C'était un assassinat doublé d'un suicide, le dernier acte d'une opération de dissimulation qui avait fait bien des victimes. En se sacrifiant pour protéger la présidence, l'agent Cormorant avait poussé l'art de limiter les dégâts à son paroxysme.

113

Choqué, épuisé, je finis par rentrer chez moi vers 4 h 30 en me disant que j'allais peut-être pouvoir enfin dire adieu à mes horaires de zombie. Si Bree était encore au lit, j'allais la réveiller et lui raconter tout ce qui venait de se passer.

Elle n'était pas dans la chambre. Elle n'était pas à la maison.

Il m'avait suffi d'apercevoir le cabas à tricot de tante Tia par terre, près de la table de la cuisine, pour comprendre. Tia était venue s'occuper des enfants pendant que Sainte Bree prenait mon tour de garde à l'hôpital. Forcément. Pour elle comme pour moi, pas question de laisser Nana seule.

J'étais à deux doigts de remonter dans ma voiture quand je me fis la réflexion qu'il était plus logique de relever Bree dans la matinée et de libérer Tia à ce moment-là, car nous étions déjà en sous-effectif.

Je montai donc m'allonger sur le lit, parfaitement éveillé, l'esprit accaparé par tout ce que j'avais vécu au cours des dernières semaines. L'affaire mettrait sans doute encore des mois, voire des années, à livrer tous ses secrets. Nous ne savions toujours pas combien de jeunes filles avaient connu le même sort que Caroline et ne le saurions peut-être jamais. Nous ignorions qui avait couvert les agissements de Zeus. Theodore Vance, richissime homme d'affaires, disposait de ressources lui permettant de faire ce que bon lui semblait, de vivre ses fantasmes. Et il ne s'en était apparemment pas privé.

J'appellerais ma belle-sœur, Michelle, un peu plus tard dans la journée. Que devais-je lui dire, que devais-je lui cacher des circonstances de la mort de sa fille ? Certains détails n'avaient pas leur place dans la mémoire d'une mère. Ni, peut-être, dans la mienne...

J'étais à la maison depuis moins d'une demi-heure quand le téléphone sonna, en bas.

Je bondis du lit et réussis à décrocher avant la troisième sonnerie. Compte tenu de tout ce qui s'était passé au cours des dernières vingt-quatre heures, un certain nombre de personnes pouvaient chercher à me joindre.

— Alex Cross, chuchotai-je.

Et là, une fois de plus, ma vie changea.

— Alex, c'est Zadie Mitchell. Je vous appelle de l'hôpital. Pouvez-vous venir dès que possible ?

114

Je courus jusqu'à la voiture garée dans l'allée.

Fonçai à St. Anthony en mettant la sirène. Montai au quatrième étage par l'escalier.

En entrant dans la chambre, je vis d'abord Bree, en larmes. Et Nana Mama, dans son lit. Les yeux entrouverts.

Regina Hope Cross, l'être le plus coriace qu'il m'ait jamais été donné de connaître, n'en avait pas encore fini avec nous.

Même réduite à un crachotement, sa voix me tétanisa.

— Il t'en a fallu, du temps. Je suis revenue.

— Oui, je vois ça.

Béat, je me mis à genoux pour l'embrasser aussi délicatement que possible. Elle avait encore deux perfusions et sa sonde cardiaque, mais n'était plus sous assistance ventilatoire ni sous alimentation artificielle, et j'avais l'impression de retrouver quelqu'un que je n'avais pas vu depuis des semaines.

— Ai-je manqué quelque chose ?

— Quasiment rien. Des broutilles. Si ce n'est que sans toi, le monde s'est arrêté de tourner.

— Très drôle.

Je ne plaisantais qu'à moitié. Tout le reste, en fait, pouvait attendre.

Zadie et un cardiologue, le Dr Steig, étaient en train de surveiller l'état de Nana.

— Regina va avoir besoin de ce qu'on appelle un DAVG, un dispositif d'assistance ventriculaire gauche, expliqua le médecin. C'est ce qu'il y a de mieux après la transplantation, et ça lui permettra de rentrer chez elle plus tôt. (Il posa la main sur l'épaule de Nana et parla un peu plus fort.) Vous serez bientôt à la maison, Regina. Avez-vous des projets ?

Elle hocha vaguement la tête.

— Ne pas mourir tout de suite.

Tout le monde éclata de rire.

Elle battit des paupières, puis ferma les yeux.

— Ne vous inquiétez pas, nous rassura le médecin. Elle sera souvent dans le cirage au cours des prochains jours, c'est normal.

Il détailla les soins dont Nana allait avoir besoin, puis nous laissa un moment seuls.

Bree avait regardé les infos. Toutes les grandes chaînes diffusaient des images en direct du Kennedy Center, de la Maison-Blanche et du domicile des Vance, à Philadelphie. Un semblant de deuil était en train de gagner tout le pays.

— Alors, ça y est ? C'est fini ?

— Oui, répondis-je en songeant davantage à Nana qu'à Teddy Vance. On peut dire que c'est fini. Ce qui est sûr, c'est que Zeus est mort.

ÉPILOGUE

LA RENAISSANCE DU PHÉNIX

115

Les fêtes passèrent extraordinairement vite, et je pèse mes mots. Damon vint célébrer Noël en famille et, à la Saint-Sylvestre, Nana, qui se sentait suffisamment mobile, n'hésita pas à préparer une couronne de côtes de porc pour six personnes – avec un petit peu d'aide. Une excellente manière de dire adieu à l'année écoulée, entre nous, même si Ali et Nana ne réussirent pas à tenir jusqu'à minuit.

Le jour de l'an commença tout aussi tranquillement. Après avoir écouté avec Nana quelques chapitres d'un livre audio, *La Liberté de vivre,* de Han Jin, je fis un brunch pour les enfants, puis demandai à Bree si elle avait envie de faire un tour en voiture avec moi, l'après-midi.

— Un petit tour à la campagne ? Très bonne idée ! Je suis partante !

Il faisait un peu moins de zéro, dehors, mais la température à l'intérieur de la voiture était parfaite. Je glissai un disque de John Legend dans le lecteur, mis le cap sur le nord et regardai le monde défiler pendant une petite heure.

Bree ne comprit mes intentions que lorsque je sortis de la 270, dans le Maryland.

— Oh ! génial !

— Génial ?

— J'ai bien dit : génial. Absolument génial. J'adore ce coin !

Le parc de Catoctin Mountain demeurait notre destination préférée. C'était ici que Bree et moi étions partis ensemble pour la première fois. Nous y étions retournés camper à plusieurs occasions, seuls ou avec les enfants. Un parc magnifique en toutes saisons, mais hélas fermé le jour de l'an.

— Ce n'est pas grave, me dit Bree. Le trajet était agréable.

Je me garai près du grand portail de pierre de l'entrée principale et coupai le moteur.

— On va la faire, notre balade. Que veux-tu qu'ils fassent ? Ils vont nous arrêter ?

116

Quelques minutes plus tard, nous avions la piste de Cunningham Falls rien qu'à nous. Difficile d'être plus seuls. Le manteau de neige fraîche étincelait sous un ciel d'azur. La nature, dans sa perfection.

— As-tu pris de bonnes résolutions ?

— Bien entendu, me répondit-elle. Travailler trop, arrêter le sport et m'empiffrer jusqu'à ce que je devienne obèse. Et toi ?

— Je vais arrêter de recycler mes déchets.

— Bonne initiative.

— Peut-être passer un peu moins de temps avec les enfants.

— Excellente idée.

— Et essayer de décourager la femme que j'aime de m'épouser.

Elle resta bouche bée, comme je m'y attendais. J'en profitai pour sortir la bague de ma poche.

— C'était à Nana. Elle aimerait que tu l'aies.

— Oh... (Elle souriait, l'air un peu incrédule, mais j'avais du mal à déchiffrer son expression.) Alex, tu sors d'une période extrêmement mouvementée. Es-tu sûr que le moment soit bien choisi ?

De la part de quelqu'un d'autre, j'aurais pu interpréter cette réponse comme une fin de non-recevoir élégamment tournée, mais Bree ne pratique pas l'art de la circonvolution verbale.

— Bree, tu te souviens de ma soirée d'anniversaire ?

— Oui, me dit-elle, un peu décontenancée par ma question. Quand toutes ces horreurs ont commencé. Le soir où tu as appris la mort de Caroline.

— Et jusqu'à ce que Davies m'appelle, ça devait être le soir de ma demande en mariage. Comme on ne peut pas revenir en arrière, je pense que maintenant, ce serait parfait. Veux-tu m'épouser, Bree ? Je t'aime tellement que c'est à la limite du supportable.

À la faveur d'une saute de vent, elle m'enlaça sous mon manteau, et notre baiser dura longtemps, très longtemps.

— Moi aussi, je t'aime, murmura-t-elle.

Puis elle ajouta :

— Et la réponse est oui, Alex. Je t'aime tellement, moi aussi. Oui à toi et à ton incroyable famille...

— Notre incroyable famille.

Je l'embrassai encore une fois et elle se serra contre moi, rempart contre le froid.

— Oui à tout.

117

Ce fut encore la fête, ce soir-là. Spécialités du Sichuan en provenance de notre chinois préféré, puis champagne en compagnie de Sampson et Billie, venus entendre la grande nouvelle. J'étais euphorique, mais guère plus que nos invités, qui eurent le bon goût de ne pas mettre une seule fois en doute la santé mentale de la femme qui comptait m'épouser.

Bien plus tard, alors que Bree et moi, au lit, évoquions déjà les préparatifs d'un mariage qui aurait lieu en été, mon téléphone portable sonna.

Je mis un oreiller sur ma tête.

— Non, non, non. Voilà ce que j'ai décidé pour la nouvelle année. Plus de coups de fil. Plus jamais.

Nous devions tous deux reprendre le travail le lendemain matin, ce qui nous laissait encore huit heures.

— Chéri, me susurra Bree en m'escaladant pour récupérer le téléphone dans le tiroir, je vais épouser un flic. Et un flic, ça décroche quand on l'appelle. Allez, ce n'est pas la mer à boire.

Elle me tendit l'appareil, m'embrassa et d'une roulade reprit sa place.

— Alex Cross, dis-je.

— Alex, je voulais être l'un des premiers à vous féliciter. Toi et Bree. Voilà ce que je qualifie de dénouement heureux.

Je m'assis. Cette voix, je la connaissais bien. Je replongeais en plein cauchemar.

Dans le monde entier, Kyle Craig était l'homme qu'on surnommait « le Cerveau ». Pour moi, il s'agissait d'un vieil ami devenu mon pire ennemi.

— Kyle, quelle est la vraie raison de ton appel ?

— Je m'ennuie, Alex. Personne n'est capable de jouer avec moi comme tu le fais. Personne ne me connaît aussi bien que toi. Il serait peut-être temps qu'on s'amuse un peu. Rien que nous deux.

— Je ne pense pas que nous ayons la même conception du jeu.

Il rit doucement.

— Tu as sans doute raison. Qui plus est, j'avoue moi-même que tu as visiblement besoin de souffler un peu, après Zeus. Disons que ce sera mon cadeau de mariage. Ne te laisse pas trop aller, cela dit, car rien ne dure éternellement. Tu le sais déjà, n'est-ce pas ? Mes meilleurs vœux à Bree, à Nana et aux enfants, bien entendu. Et je lève mon verre, Alex. À notre prochaine partie !

Composition réalisée par Nord Compo

Impression réalisée par
CPI BRODARD ET TAUPIN
La Flèche
en mai 2013

JC Lattès s'engage pour l'environnement en réduisant l'empreinte carbone de ses livres. Celle de cet exemplaire est de :
960 g éq. CO_2
Rendez-vous sur
www.jclattes-durable.fr

Imprimé en France
Dépôt légal : juin 2013
N° d'édition : 01 – N° d'impression : 73080